Direção de Câmera

Um manual de técnicas de vídeo e cinema

Dados Internacionais de Catalogação na Publicação (CIP)
(Câmara Brasileira do Livro, SP, Brasil)

Watts, Harris.
Direção de câmera / Harris Watts ; [tradução Eli Stern]. – São Paulo : Summus, 1999.

Título original: Directing on Camera.
Bibliografia
ISBN 978-85-323-0684-5

1. Cinematografia 2. Filmes – Audiências 3. Filmes – Edição 4. Filmes – Entrevistas 5. Filmes – Produção e direção 6. Vídeos I. Título.

99-3193 CDD-791.4302

Índice para catálogo sistemático:

1. Filmagem : Técnicas : Artes 791.4302

Direção de Câmera

Um manual de técnicas de vídeo e cinema

Harris Watts

summus
editorial

Tradução: **Eli Stern**
Capa: **Roberto Strauss**
Consultoria técnica: **Jairo Tadeu Longhi**
Editoração: **Join Bureau**

Summus Editorial
Departamento editorial
Rua Itapirucu, 613 – 7º andar
05006-000 – São Paulo – SP
Fone: (11) 3872-3322
http://www.summus.com.br
e-mail: summus@summus.com.br

Atendimento ao consumidor
Summus Editorial
Fone: (11) 3865-9890

Vendas por atacado
Fone: (11) 3873-8638
email: vendas@summus.com.br

Impresso no Brasil

Para

Christina, Jon, Matthew,
Lucy e Amy

Agradecimentos

A Paul Watson, Davis Heycock, Robin Gwyn, Larry Toft, Gary Boon, Michael Kennedy e Jon Watts, pelas sugestões e correções.

Nota do Autor

Tudo nesse livro se aplica tanto a vídeo quanto a filme, a menos que haja indicação diferente. Com freqüência uso "filme" referindo-me a ambos; escrever "vídeo ou filme" todas as vezes seria aborrecido. "Editar" e "cortar" também são usados de maneira intercambiável.

Nota à edição brasileira

Utilizamos para os termos *shooting* e *shot* diversas alternativas de tradução, conforme o contexto. Assim, o leitor encontrará as expressões registrar, registrar com câmera, filmar/gravar, trabalho de câmera para *shooting*; já tomadas de câmera foi usado tanto para *shot* (ação de registrar) como *take* (resultado da operação).

Aproveitamos a oportunidade para expressar nossos agradecimentos a Roberto Elisabetsky e Francisco Ramalho Jr. pelas preciosas contribuições na tradução de numerosos termos.

Sumário

Apresentação à edição brasileira

Originalmente texto que serviu de base para os treinamentos na BBC, emissora referência de qualidade, *Direção de câmera*, de Harris Watts, é dirigido aos líderes na área. E quem são os líderes? Quem procura qualidade.

"O perigo é que ninguém faz nada muito bem", diz Watts, referindo-se ao padrão empresarial de hoje, quando todo mundo faz um pouco de tudo.

De fato, a qualidade total, espécie de religião na maioria das empresas, empossou nos poucos empregos que restam no mundo o tipo de pessoa multifuncional. A versatilidade é o atributo mais visível dos polivalentes; contudo, quando se trata de uma equipe de produção para vídeo e cinema, é muito fácil esse atributo perturbar a velocidade da equipe como um todo. Para que todos administrem seu tempo muito bem, é preciso obedecer a mais uma regra prática da religião da qualidade total: evitar as refacções.

O que Watts desenvolve nesse "livro de qualidade" é a questão da qualidade na produção. Para o líder polivalente de hoje é preciso conhecer desde o idioma — "redigir", diz Watts —, até detalhes da parte técnica.

E ele vai além: "Alguns produtores às vezes alegam [...]: 'Eu apenas mostro' (como as coisas acontecem). Eles estão se enganando".

Quem vive ou já trabalhou empresarialmente sabe que as escolhas são sempre limitadas. Da mesma forma, os produtores "não possuem um estoque ilimitado de escolhas", pondera Watts. Ele ousa até na maneira de avaliar a qualidade de uma produção em cinema ou vídeo.

As refacções numa fábrica ou empresa são o critério mais adotado para se saber se um padrão de qualidade está ou não sendo seguido. Watts sugere um outro critério: evitar que o público espectador, durante o programa, faça a si mesmo a temível pergunta "*e daí?*", que fatalmente o conduzirá a zapear no controle remoto.

Nesta era de televisão paga em busca de qualidade, as recomendações desse livro evitam o desastre de a audiência fazer essa pergunta, durante e após o programa. Depois de ler *Direção de câmera*, o participante de uma equipe de produção será capaz de desenvolver sistemas que atendam às solicitações dos clientes, ou do público, o mais rapidamente possível. O que já faz parte da qualidade total.

Jairo Tadeu Longhi,
Administrador de empresas e
colaborador na versão brasileira
de *On Camera* (1990), também
de Harris Watts.

PLANO

Programas são uma experiência compartilhada

O que é um bom programa?

A melhor resposta em que consigo pensar é: um programa que ofereça ao espectador algum tipo de experiência: entretenimento, informação ou (no mínimo) distração. Quanto mais emocionante for a experiência, melhor: interessante, divertida, engraçada, fascinante, alarmante, excitante, assombrosa, extraordinária, total — qualquer coisa menos aborrecida. O teste é o seguinte: as pessoas falam do seu programa no dia seguinte?

Os melhores programas escondem sua arte

"Você viu aquele programa sobre...?"
"Sim, ele não estava...?"

Qualquer comentário (que não uma condenação) e você terá marcado pontos. Terá compartilhado uma experiência com o espectador. A intensidade da experiência é a medida do sucesso.

A maneira de se fazer um bom programa é planejar. Os melhores programas parecem ter sido feitos sem esforço; parece que tudo se encaixou. Não se consegue pensar em nada que possa modificá-los; eles parecem estar corretos, e simplesmente estão. Mas não se engane: sua arte é esconder sua arte. Seus pontos fortes não são resultado de sorte, mas de trabalho árduo e planejamento. Sorte é um ingrediente, mas é conseqüência de trabalho árduo e planejamento — ela não os substitui.

Portanto, a primeira coisa que você precisa fazer quando está realizando o seu programa é planejar.

Mostre coisas acontecendo

Televisão são figuras em movimento. Portanto, é inútil aparecer para fazer registros de câmera quando a reunião terminou, a fábrica está vazia ou as crianças já voltaram para casa. Sempre que possível você deve registrar a ação e não a inatividade. Não faz sentido preencher a tela com nada acontecendo — isso não oferece qualquer experiência para ser compartilhada com o espectador. Você precisa mostrar coisas acontecendo.

Suponha que você está indo fazer um filme de curta-metragem sobre casas-flutuantes (barcos que servem como moradia). O que você irá filmar? Se a sua resposta for casas-flutuantes e nada mais, o seu planejamento não foi suficiente. Uma série de tomadas de casas-flutuantes pode tornar-se uma exposição fotográfica, mas não se tornará um filme. Seus espectadores necessitam de algo menos estático, algo com um pouco mais de movimento.

"Mas não está acontecendo nada aqui..."

As primeiras impressões de uma locação não chegam a causar grande entusiasmo. Passe um pouco de tempo na locação. Pare, olhe, pense e faça perguntas. Qual é o cotidiano da pessoa que mora na casa-flutuante? Quais as vantagens e desvantagens de morar numa casa-barco? Como você procura um barco-casa se estiver interessado em comprar um? Como o proprietário encontrou este? O que você acha interessante sobre o barco e o proprietário? E com relação aos vizinhos e às redondezas — alguém ou alguma coisa interessante depois? Se você for depois bater um papo com alguém a respeito da sua visita, qual será o assunto da conversa? As respostas a essas perguntas irão lhe dar idéias para acontecimentos a serem registrados.

Os acontecimentos não precisam ser importantes ou grandiosos. O proprietário percorrendo seu barco (cozinha, banheiro, quarto, e assim por diante) e mostrando-o para a câmera (e para o espectador); pescando no *deck* (uma das vantagens de morar em um barco); armando o alarme contra ladrões (uma das desvantagens de viver em um barco); talvez esclarecendo alguns pontos ou respondendo a perguntas de um entrevistador durante essas atividades. Agora está começando a parecer um filme.

Evidentemente, muitas vezes é difícil mostrar coisas acontecendo. Os eventos não se arranjam de modo a serem convenientes para a câmera, mas ocorrem sem aviso prévio, em locações de difícil acesso, em horas inoportunas e imprevisíveis, são perigosos ou demasiadamente distantes para registrar. Ou, então, não sugerem imagens ou não podem ser vistos. Ou eles não acontecem, porque as pessoas interrompem o que estão fazendo para conversar com você. O que as pessoas estariam fazendo se você não estivesse ali?

Muitos eventos não podem ser vistos

Ou então não há eventos acontecendo. É nisso que consiste o desafio dos filmes "de exposição", aqueles que se propõem a capturar o interesse dos espectadores com coleções de pinturas/estátuas/gravuras/selos/ automóveis/ferramentas da Idade da Pedra ou qualquer outra coisa. O problema é que todos os protagonistas do filme de exposição são inanimados. Nada se move — e se algo se movesse, você provavelmente teria de parar a filmagem!

Então o que se faz com exposições? Planos gerais estáticos de objetos estáticos são extremamente aborrecidos. *Close-ups* são melhores (pelo menos o espectador consegue ver o que está sendo exibido), mas mesmo assim não acontece. Dar um *zoom* ou uma *pan* (ver Glossário, pp. 107 e 104, respectivamente) introduz alguns movimentos de câmera que terão pouca utilidade se o espectador não vir um sentido neles. Você precisa de alguém falando, mas se ele ou ela simplesmente fala a respeito dos objetos expostos um a um, você acabará com um catálogo falado, não com um filme. A única maneira de fazer o filme de exposição funcionar é acrescentar alguma ação intelectual (ver *Encontre um ponto de vista,* a seguir). O locutor precisa falar com alguma finalidade; quando isso acontecer você poderá descobrir que uma explanação intelectual busca compensar a ausência de fatos concretos.

Entretanto, de maneira geral, os espectadores gostam de ver acontecimentos; não de ouvir pessoas falando a respeito deles. Mais do que relatos de eventos, os eventos na tela oferecem uma experiência mais direta para ser compartilhada com os espectadores. Ocasionalmente um locutor excepcional é tão cativante, ou um entrevistado provoca tanta emoção, que a própria conversa se torna o acontecimento. Mas isso é raro. Não confie demais em conversa; em primeiro lugar procure acontecimentos para registrar.

Encontre um ponto de vista

Isso não é um convite para apresentar a história de maneira tendenciosa. É um apelo para você pensar numa forma de contar a história que a faça ter algum significado para o espectador. Os fatos isolados não são suficientes — você não está preparando um verbete para uma enciclopédia. Você precisa encontrar um ponto de vista a partir do qual irá contar a história. Sem um ponto de vista ou ângulos, uma história estimula a seguinte crítica: "E daí?" Lembre-se: "Programas são experiências compartilhadas". Uma história do tipo "E daí?" deixa o espectador distante e indiferente.

Encontrar um ponto de vista pode ser difícil; produtores de programas experientes com freqüência passam um bom tempo angustiados à procura de "como fazer a história". Em geral, são notavelmente poucas as coisas que se precisam dizer ao espectador; os programas não têm uma longa pauta obrigatória como os manuais de instrução. A televisão é ruim para transmitir uma quantidade enorme de fatos detalhados, os espectadores não conseguem absorvê-los; ela também é lenta, 30 minutos de noticiário televisivo cabem na primeira página de uma folha de jornal comum e têm aproximadamente o mesmo número de notícias. Portanto, você tem de selecionar o que deseja transmitir.

Pode valer a pena você se colocar na posição de outra pessoa e observar a temática do filme do ponto de vista dela. O filme de exposição que mencionei anteriormente (encontrar um ponto de vista é outro de seus problemas) poderia ser abordado do ângulo do artista, do organizador da exposição, do crítico, do historiador, de artistas locais trabalhando no mesmo meio de expressão, dos funcionários que tomam conta da exposição ou das pessoas que estão (ou não) visitando a exposição. Ou a temática da exposição pode sugerir uma abordagem mais original.

O ponto importante é trabalhar com bastante afinco para encontrar uma boa maneira de contar a sua história, pois será isso que dará forma ao programa. Uma das razões para fazê-lo é que isso oferecerá sugestões — o que é uma grande vantagem — sobre o que vale a pena ou não registrar.

Pense em seqüências

Quando você está planejando uma filmagem ou gravação, pense em seqüências, não em tomadas únicas. Uma seqüência é um parágrafo visual, um agrupamento de tomadas que registram um evento ou compartilham uma idéia no filme pronto. Uma tomada está para uma seqüência assim como uma sentença está para um parágrafo.

Quando você começa a planejar um filme não precisa pensar nas tomadas individuais, da mesma maneira que não precisa pensar nas sentenças individualizadas quando se prepara para escrever — tomadas e sentenças são demasiadamente detalhadas, nessa etapa. Seqüências são blocos mais apropriados para serem trabalhados. Elas impedirão que seu pensamento fique atolado num pântano de detalhes. Muitas vezes vi principiantes começarem o planejamento de um filme da seguinte maneira:

"Vejamos: vou começar com uma tomada geral da rua e uma *pan* das casas-flutuantes. Em seguida corto para um *close* da caixa de correio e a mão recolhendo as cartas — não, vou fazer um plano médio do proprietário saindo para pegar a correspondência — não, primeiro um *close* da porta se abrindo, daí para um plano médio do proprietário..."

Nessa etapa, as tomadas não têm importância. A questão importante é a idéia para o início do filme: O dono da casa-flutuante sai para pegar a correspondência. O tipo de cobertura que você irá fazer — uma tomada ou muitas — vem depois.

Em seguida, identifique os momentos-chave

O problema com a maioria das seqüências é que existem muitas coisas acontecendo. O truque, então, é identificar os momentos-chave. Quais são as partes importantes da ação? Quais são as irrelevantes?

Considere a seqüência anterior, o proprietário do barco pegando a correspondência. Você pode pensar que está acontecendo não muita coisa, aliás pouquíssima coisa. Você murmura para si: "Eu certamente não estou tendo muitas opções, não é?".

Mas, pense novamente. Atente para certos detalhes. A porta de acesso à cabine (a porta de entrada da casa-flutuante): como ela é trancada? Existe alguma maçaneta? Uma fechadura? Diversas fechaduras? Talvez uma ou mais trancas. A porta está montada sobre dobradiças ou é erguida como a escotilha de um veleiro? O dono caminha para fora da cabine ou tem de subir uma escada para sair? O que ele está vestindo quando aparece? Onde está a caixa de correio e de que tipo ela é? Como ela é aberta? Há uma carta na caixa. Você quer que os espectadores vejam o endereço? E o conteúdo?

Você pode notar que mesmo uma seqüência simples como esta oferece uma profusão de detalhes. Quais são os detalhes-chave? A resposta, naturalmente, depende da história que você quer contar. Se segurança é um pesadelo em casas-flutuantes, então as fechaduras e trancas são importantes. Se o dono está envelhecendo e a vida no barco-casa está ficando complicada, então as escadas da cabine podem ser relevantes. Se a localização da casa-flutuante é importante ou a carta anuncia uma visita materna, então vale a pena mostrar ao espectador o endereço e o conteúdo da carta.

A decisão quanto a quais são os momentos-chave é sua. Você pode decidir que nessa etapa do filme não quer entrar em muitos detalhes mas deseja apenas estabelecer essa pessoa dentro dessa casa-flutuante — tudo bem. A questão é a seguinte: há numerosas maneiras de tratar a seqüência de abertura, e a decisão quanto à forma de fazê-la depende do que você quer dizer.

Identificar os momentos-chave concentra a mente. E também sugere como filmar a seqüência. Se um aspecto é importante, você precisa se certificar de que o espectador o veja. O porquê da tomada irá sugerir onde colocar a câmera e qual a duração da tomada.

Freqüentemente, quando a ação é mais demorada e mais complicada, escolher os momentos-chave é a única maneira de cobrir o evento. Nessas ocasiões você precisa identificar as partes que representem o todo, os melhores momentos que transmitam o essencial. Pense nos momentos-chave de uma cerimônia de casamento (quase familiar demais): a marcha nupcial, o "Sim", a aliança, a saída da igreja, cortando o bolo. Os momentos-chave de um processo de fabricação ou de um exame de laboratório ou a rotina matinal de um dono de uma casa-flutuante são mais difíceis de encontrar, mas eles sempre existem.

Mantenha um caderno de anotações

O seu caderno de anotações deve ser a história do seu filme. Para filmes mais longos ele é vital, mas mesmo para filmes mais curtos você descobrirá que é surpreendente a quantidade de anotações que precisará fazer.

Comece o caderno no primeiro dia de pesquisa e mantenha-o enquanto conversa, faz visitas, observa, lê e pensa sobre o seu assunto. Números de telefone, listas de coisas para fazer, idéias para tomadas e seqüências, frases úteis para os comentários ou narração, perguntas que você precisa lembrar de fazer ao entrevistado, algumas questões específicas de filmes e livros que pesquisou — anote tudo resumidamente no seu caderno. Deixe-o "crescer" junto com o filme. Examine-o periodicamente para verificar se está extraindo o máximo do seu material.

Faça um tratamento ou *storyboard* ou lista de planos

Até aqui você pesquisou e fez anotações. Agora está na hora de colocar as coisas no papel. Existem vários métodos.

O tratamento é melhor para filmes mais longos — qualquer coisa acima de cinco minutos. Ele lhe oferece uma vantagem: uma visão do espaço a percorrer e uma oportunidade para planejar sua rota ao longo dele.

TRATAMENTO: JACK E JILL 1

Garota pára o automóvel para pegar o rapaz (ver o storyboard)	
(arquivo): trecho do desenho animado "Some Other Life" mostrando Jack e Jill	*(sonoplastia): canções infantis*
crianças dando cambalhotas no morro Greenwich	*LOC: J & J — símbolo, por séculos, de garoto conhece garota. p. ex. Sonho de uma noite de verão: "Se Jack conquistar Jill, tudo dará certo".*
xilogravura de madeira mostrando 2 meninos	*Por que, então, esta gravura de 1765 mostra dois rapazes?*

Para fazer um tratamento coloque a lista das seqüências das tomadas no lado esquerdo do papel e uma nota sobre o som à direita: "som direto", voz em *off* (comentário ou narração sobre o som original), música ou efeitos sonoros. Se em seguida você fizer uma estimativa da duração de cada seqüência no filme acabado, poderá ver se planejou material suficiente. Você deve planejar filmar pelo menos 10% a mais do que o necessário para a duração programada, de modo a poder rejeitar o material mais fraco durante a edição.

Um *storyboard* faz você pensar em imagens. Se esse é o seu ponto fraco, vale a pena fazer um *storyboard* só por esse motivo.

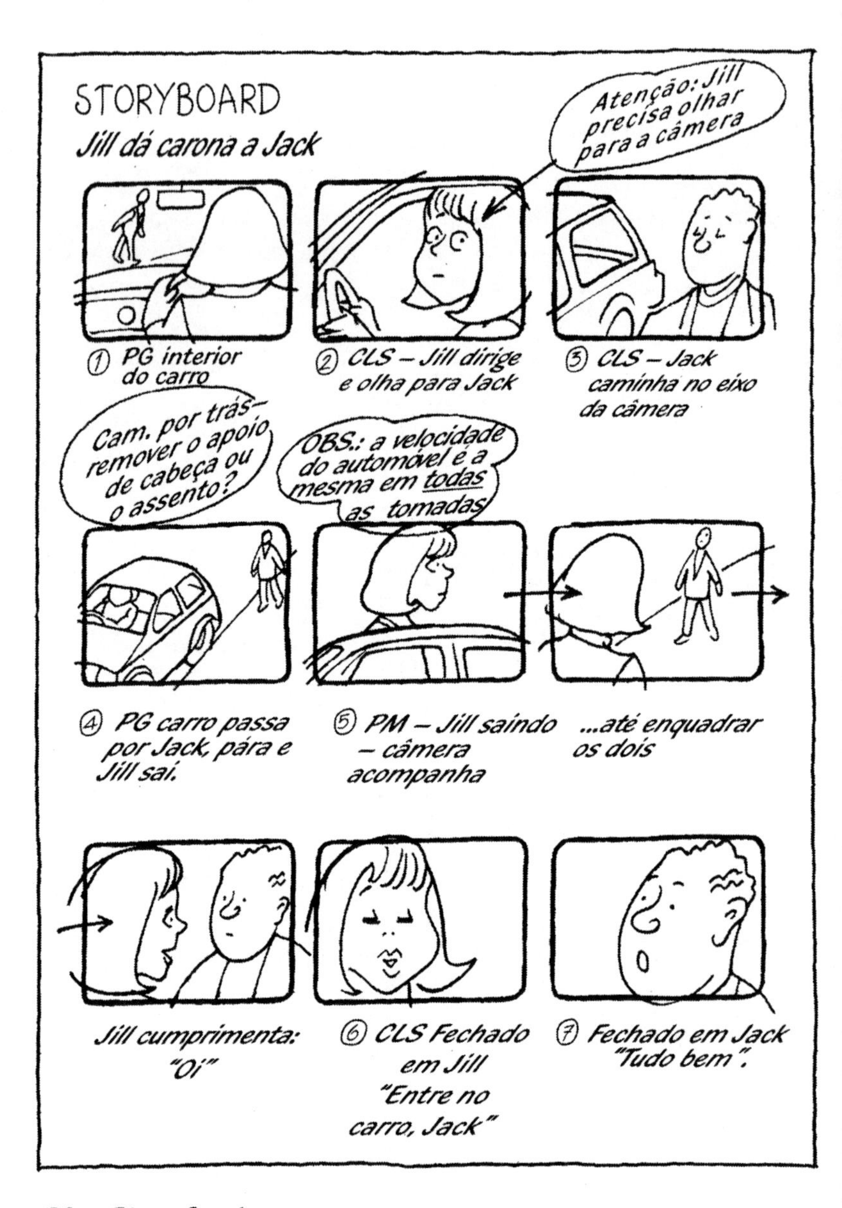

PG – Plano Geral
CLS – Close
PM – Plano Médio

Em geral você precisa de apenas um desenho por tomada. Se for um plano contínuo (Jill caminha pela calçada para encontrar Jack), faça mais desenhos para abranger toda a tomada ou desenhe apenas o momento-chave (nesse exemplo, obviamente, quando Jill encontra Jack). Não se preocupe se não souber desenhar: para desenhar um *storyboard* basta saber desenhar alfinetes ou homens salsichas (uma salsicha pequena e grossa para a cabeça, uma salsicha grande para o corpo, três salsichas para cada perna e braço). Escreva uma pequena descrição da ação (Jill caminha em direção a Jack) e uma observação a respeito do som (Jill: "Oi!" Jack: sem resposta) sob cada desenho. Você também pode fazer lembretes para você mesmo quando estiver filmando (a velocidade do automóvel deve ser a mesma em todas as tomadas do carro!).

O terceiro método é escrever uma lista de planos de filmagem. Isso funciona melhor para filmes curtos em que você não tem tempo (ou não quer ler) para fazer um *storyboard*.

LISTA DE PLANOS: ABERTURA DE JACK E JILL.

1 interior do carro em movimento. Jill de costas, dirigindo por uma rua do bairro, aparece Jack na calçada indo na mesma direção.

2 Idem, mas em angulação mostrando Jack que fica para trás, Jill pára e sai do carro.

3 Close em que observa o carro passando e parando.

4 Geral do carro que passa por Jack, pára e Jill sai.

5 Plano aberto sobre a capota do carro, a cabeça de Jill cobre a capota quando ela sai. Câmera acompanha quando ela contorna o carro e enquadra os dois, Jack de frente. Jill caminha até ele e diz "Oi", Jack ouve.

Mesmo tratando-se de filmes mais longos que já têm um tratamento, é uma boa idéia fazer uma lista de planos de filmagem ou *storyboard* das seqüências individualizadas na véspera de filmá-las. Há duas razões para isso. Primeiro porque a lista de planos de filmagem ou o *storyboard* o faz pensar em termos de imagens. Você pode ter feito o tratamento algumas semanas antes e esquecido — ou não se dado ao trabalho — de pensar no nível das tomadas individuais. Segundo porque você pode usar a lista de planos de filmagem para calcular o tempo que tem disponível para cada tomada.

Para calcular o tempo disponível para cada tomada, comece prevendo o tempo necessário para viajar até a locação, refeições e outras pausas. Reserve pelo menos 20 minutos para tirar o equipamento das caixas e montá-lo na locação; 20 minutos para a desmontagem após a filmagem; se você estiver usando iluminação reserve 30 minutos tanto para o começo quanto para o fim. Diminua esse total das horas trabalhadas por dia e divida o tempo restante pelo número de tomadas da sua lista. Isso lhe oferece o número máximo de minutos por tomada — eu digo o máximo porque você terá sorte se alguma delas levar menos tempo do que planejou.

É difícil dizer quanto tempo você necessitará para cada tomada. Depende do que está filmando, se está usando iluminação e da rapidez com que consegue trabalhar. Entre 6 e 7 minutos por tomada é um bom ritmo. Se você está usando iluminação, 10 minutos é um ritmo muito bom. Se durante o seu planejamento de minutos-por-tomada tiver menos do que isso, decida quais tomadas ou seqüências você pode abandonar. Mas faça isso antes da filmagem; você não pode se dar ao luxo de perder esse tempo no meio dela!

Entretanto, não permita que esse planejamento o torne inflexível. O processo de filmagem fará surgir problemas que você não previu, problemas que você terá de resolver na hora. Ele também fará aparecer oportunidades — e essas você precisa agarrar com as duas mãos.

Isso é relamente interessante?

Quando você tiver colocado seu filme no papel (como tratamento, *storyboard* ou lista de planos de filmagem) recolha-se por um instante e se pergunte: isso é interessante? Você assistiria a isso como espectador? Dê uma resposta honesta.

Se a resposta for não, procure descobrir o que está errado. Se conseguir identificar os problemas nessa etapa, ainda há tempo para repensar.

A temática do filme é interessante? Com freqüência você é solicitado a fazer um filme sobre um assunto que não é particularmente interessante. Isso, entretanto, não lhe oferece uma desculpa para ser enfadonho. Ainda assim você precisa procurar uma maneira de torná-lo interessante, mesmo que isso mostre que sua primeira reação estava equivocada. É difícil encontrar entusiasmo para provar a si mesmo que se estava equivocado; essa relutância (provavelmente inconsciente) pode tê-lo feito negligenciar alguns ângulos potencialmente interessantes. Talvez isso o tenha levado a despender um tempo excessivo numa parte infrutífera do assunto. Tente uma abordagem diferente, ou talvez uma mescla de abordagens. Alguma delas funcionaria melhor?

Talvez o problema não seja o assunto, mas o que você está dizendo a respeito dele. Tente contar para alguém algumas das coisas que planeja dizer no seu filme. "Pessoas vivem em casas-flutuantes. As casas-flutuantes estão na água". O seu interlocutor começará a procurar um jeito de ir embora. Afirmações que você não se atreveria a fazer para alguém por serem tão óbvias e cansativas, na televisão, muitas vezes passam sem serem contestadas. Alguns produtores parecem achar que modos de pensar normais não se aplicam à telinha, então não há problema em falar bobagens. Eu não concordo. Se uma observação for óbvia e enfadonha na vida real, ela será óbvia e enfadonha na televisão.

Talvez o problema não seja o "o quê?" (a temática ou o que você está dizendo sobre ela) mas o "como?". Então a culpa não é da história, mas do modo como você a conta. Talvez a maneira que você aborda o assunto esteja demasiadamente verbal: um repórter dizendo coisas para a câmera na abertura, entrevistas relacionadas a algumas imagens gerais da locação, discurso de fechamento para a câmera. Cabeças falantes e um fundo colorido. Você não está mostrando coisas acontecendo para as pessoas, mas falando sobre coisas acontecendo para as pessoas. Pense novamente sobre as questões dessa parte do livro; daí trabalhe sobre o seu plano de filmagem, fazendo-o mais visual e menos verbal. Dê aos espectadores ação, não palavras.

Talvez você já tenha um bom tratamento visual mas ele não esteja na seqüência correta. Tente descartar as duas primeiras seqüências do seu filme, ou colocar o fim no começo, ou contar a história a partir do ponto de vista de outra pessoa. Talvez você tenha se fixado demasiadamente na sua maneira de pensar. Brincar com o filme dessa maneira pode reintroduzir alguma flexibilidade mental e lhe dar algumas idéias novas.

Finalmente, pense nos espectadores. Quem são eles? Você está tentando cativar para uma audiência muito ampla e, em conseqüência, dizendo muito pouco? Talvez você deva colocar um pouco mais de detalhe no seu filme. Pergunte-se: esse filme está oferecendo ao espectador interessado nesse assunto uma experiência: entretenimento, esclarecimento ou — no mínimo — distração? É esse, no final das contas, o objetivo de todo esse exercício. Você provavelmente irá perder aqueles que não se interessam pela temática (embora seu objetivo seja mantê-los), mas se não conseguir satisfazer ao menos aos que se interessam, aí a coisa é séria.

Se você não tem certeza do que está se passando, revise seus planos com alguém cujo julgamento você respeite. Veja o que essa pessoa pensa e ouça as perguntas que ela faz. Uma outra cabeça pode trazer à tona muitas coisas que lhe passaram despercebidas. Freqüentemente os espectadores enxergam o jogo melhor do que os jogadores.

Ou, se você tiver oportunidade, retorne à locação para uma nova olhada. Você pode ter deixado de perceber alguma coisa. Veja e ouça. Dê um giro de 360 graus — a relação entre a locação e onde ela está inserida pode colocar as coisas sob uma nova perspectiva. O que vale a pena dizer sobre os arredores? O espírito do lugar pode lhe dar uma resposta.

Delegue responsabilidades

Costumava ser muito mais fácil: os papéis eram fixos. As pessoas trabalhavam como diretores, produtores, produtores/diretores, pessoal de som ou câmera, pesquisadores ou entrevistadores. Todos tinham a sua função e as responsabilidades eram claras.

Agora os papéis estão menos definidos. Equipamento melhor, equipes menores e múltiplas habilidades tornaram os limites menos nítidos. Todos fazem de tudo; o perigo é que ninguém faz nada muito bem. Dirigir, filmar, iluminar, gravar o som, entrevistar e editar são ofícios distintos, fáceis no nível "acho que", mas difíceis quando se quer fazer bem-feito.

Não piore as coisas deixando também as responsabilidades mal definidas. Se ninguém é responsável por algo específico, seus resultados serão piores do que precisam ser. Se a iluminação está feia, talvez a pessoa responsável por acender as luzes não estivesse segura se o cinegrafista iria orientá-la no seu ajuste. O diretor não disse nada porque pensou que o cinegrafista se ocuparia da iluminação; de qualquer maneira, ele estava ocupado na preparação da entrevista, preocupado com quem iria montar o microfone...

É realmente muito importante que todos tenham um papel (ou papéis) claramente definido em cada filme. Se você quer dirigir uma organização democrática e permitir que todos se revezem para fazer tudo, troque os papéis a cada filmagem. Mas mantenha a mesma função (ou várias funções) para cada filmagem. Isso não significa que as pessoas não devam ajudar umas às outras e possam, ocasionalmente, oferecer uma sugestão sobre algo que não é de sua responsabilidade. Isso significa que todos assumem o seu papel e decidem qual é a melhor maneira de fazê-lo. Isso também significa que o diretor tem a responsabilidade geral pelo filme, ouvindo sugestões ou delegando responsabilidades de acordo com seu julgamento. Mas é ele ou ela o líder da equipe e deve estar firmemente no comando.

Bons filmes são feitos com trabalho de equipe, e não comitês.

Pense uma etapa adiante

A realização de filmes passa por distintas etapas: pesquisa e planejamento; elaboração de um tratamento, *storyboard* ou lista de planos de filmagem; filmagem; edição; redação de documentários ou narrações; som complementar. Cada etapa prepara para a etapa seguinte. Portanto, você precisa estar sempre um passo adiante.

Planejar é a preparação para filmar. Portanto, quando você está planejando deve pensar sobre a filmagem. O que você irá filmar? Como?

Quando você está filmando deve se perguntar: "Como esse corte se juntará com outro?" Se você suspeita que as tomadas não irão funcionar juntas como pretendia, faça uma tomada extra para o caso de necessitar durante a edição.

Na sala de edição você está se concentrando para fazer as imagens e o som da locação funcionarem. Mas precisa se manter um passo adiante e pensar sobre a narração, a música e os efeitos sonoros que serão posteriormente acrescentados sobre a dublagem. Você também precisa voltar sua mente para a publicidade: selecionar tomadas para um *trailer*; escrever uma sinopse do programa; talvez organizar um lançamento.

Se você não pensa com antecipação, vai descobrir que terá de voltar diversas vezes para replanejar, refilmar e reeditar — ou contentar-se com um filme que não é tão bom quanto poderia ser.

FILMAR/GRAVAR PARA EDITAR

Filmar/gravar significa coletar som e imagens para editar

É difícil prever o quanto uma tomada de câmera irá funcionar na tela. Tomadas nas quais você trabalhou como um mouro acabam resultando medíocres; tomadas que você fez em cima de uma idéia de última hora acabam contendo todos os ingredientes importantes. Quanto dessa tomada você precisa? Qual é a velocidade certa desse *zoom*? Em geral é difícil dar a resposta correta quando você está filmando. Essa dificuldade de prever não é necessariamente inexperiência ou incompetência: Woody Allen tem exatamente o mesmo problema e sempre filma três vezes mais gagues do que necessita, porque sabe que piadas podem ser engraçadas no papel e engraçadas na filmagem e ainda assim não funcionar na tela. (Ver *When the Shooting Stops... the Cutting Begins* [*Quando a Filmagem Termina...Começa a Edição*] de Ralph Rosenblum e Robert Karen, publicado pela Penguin Books.)

Portanto, é perigoso considerar a filmagem/gravação equivalente à realização do filme. Evidentemente o trabalho com câmera é importante, muito importante. Mas é apenas parte do processo de realização de um filme; não é o processo todo. Realizar filmes é bem parecido com cozinhar. Você escolhe sua receita (temática e ponto de vista), faz uma lista de compras (tratamento ou *storyboard* ou lista de planos de filmagem), arranja algum dinheiro (você precisa de mais do que imagina) e sai à procura das matérias-primas (registrar as imagens e gravar o som). Daí você volta para a sua cozinha (a sala de edição) e começa a cozinhar (editar). A refeição é elaborada na cozinha; o filme é feito na sala de edição. O trabalho de câmera — como fazer compras — é a etapa de coleta do processo.

Por isso, quando você está trabalhando com a câmera, filme e grave para editar. Faça suas tomadas de modo que suas opções de edição fiquem em aberto. Isso não significa que você deve registrar tudo que se move de todos os ângulos possíveis: isso seria tanto um desperdício quanto motivo de confusão. Significa, sim, que você deve planejar e filmar/gravar de modo a oferecer a mais ampla variedade de opções de corte possível. Essa é a idéia que sustenta a maioria dos tópicos desta seção.

Instrua brevemente som e câmera

O cinegrafista e o técnico de som são as pessoas com quem você irá trabalhar mais intimamente na etapa de filmagem. Você pode não tê-los conhecido até sua chegada à locação (certifique-se de chegar antes dos demais), então é lógico que você comece dando-lhes instruções.

A instrução deve ser curta e direta. Comece dizendo algumas palavras sobre o filme: do que se trata, quanto você já filmou e a importância da filmagem de hoje. Delineie o plano de trabalho do dia, responda a qualquer pergunta e então comece a primeira montagem de equipamento.

A instrução pode demorar apenas alguns minutos mas é importante que seja claramente entendida. Se você fizer assim, som e câmera estarão ao seu lado trabalhando para o sucesso do filme.

Duas razões que podem levar as suas instruções a darem errado: você não sabe o que está fazendo ou não está se comunicando com clareza. A primeira possibilidade não deveria ocorrer se você tiver feito o seu planejamento. A segunda é, basicamente, um mau hábito. "Bem, hum, eu não tive nem um minuto... estávamos correndo atrás de... hum, problemas... vamos precisar de um bocado de *close-ups*... a história é um pouco difícil de explicar... ah, sim, muito importante, precisamos terminar até as 14h30 para chegar ao outro lugar a tempo de gravar a reunião". Esse tartamudear é fácil de ser eliminado: atenha-se ao essencial. O que, quando, onde, com quem, por quê. Se você tende a ser vago, anote as partes importantes.

Depois das instruções iniciais você também precisa dar instruções antes de cada tomada. Não se esqueça do técnico de som: freqüentemente ele acaba pegando "de orelhada" sua conversa com o câmera. Ou — pior ainda — tem de adivinhar a próxima tomada pela posição da câmera. O técnico de som tem seus próprios problemas e pode-se confiar que ele vá resolver sozinho a maior parte, mas ele necessita da informação que irá capacitá-lo a resolver (ver *"Filme som direto"* e *"Minimize o ruído de fundo"*).

As pessoas que aparecem no seu filme também precisam saber o que está acontecendo, mas você terá discutido essa questão com elas antes da filmagem. Agora você precisa dizer-lhes o que fazer a cada tomada. Somente atores profissionais (e nem todos eles) gostam de saber que a próxima tomada será um *close-up*, uma *pan* ou uma desfocada.

Não se esqueça que instruir é um processo de mão dupla. Tente ser claro sobre o que você quer, mas também esteja pronto para escutar. Não peça sugestões — um turbilhão de idéias brilhantes pode desperdiçar tempo. Mas se alguma sugestão for feita, considere-a e não tenha medo de dizer **não** (justifique). Ou mesmo de dizer **sim**.

Finalmente, depois da filmagem/gravação, se a equipe tiver sido competente, faça questão de enviar uma nota de agradecimento. É possível que você volte a trabalhar com eles.

Filme *close-ups* (use um tripé)

Telas de televisão são medidas em polegadas em vez de metros. Elas são pequenas. As pessoas podem parecer soldadinhos de brinquedo e as casas, no máximo, caixas de fósforo. Numa tela de tamanho médio a cabeça humana tem tamanho real apenas quando está em *close-up*.

A dimensão diminuta da tela média é uma boa razão para filmar *close-ups*: se a tomada for muito aberta, as pessoas perdem o detalhe. Existe uma outra razão, talvez menos óbvia. Seus espectadores não são uma audiência de um ou dois milhões, mas milhões de audiências de um ou dois. Eles esperam que a televisão se dirija a eles individualmente, não em massa; o bate-papo ao pé da lareira funciona melhor que o discurso de conferência, uma olhadela é mais eficaz do que o gesto teatral. Televisão (como alguém já disse) é a arte de erguer a sobrancelha. Os espectadores querem ficar face a face com um indivíduo e não na última fileira do auditório.

A maior parte da tela é desperdiçada

Portanto você necessita de *close-ups*. Principiantes costumam fazer tomadas muito abertas. Seus olhos selecionam os detalhes da cena que querem observar, mas esquecem de orientar a câmera a fazer o mesmo. O resultado é que uma pequenina parte da tela mostra o que o diretor (e o espectador) querem ver. A maior parte da tela, é desperdiçada. A tela, que já é pequena, foi encolhida ainda mais.

Filme em close-up!

Isso não é uma exortação para você filmar/gravar tudo em grandes *close-ups*. Isso pode ser tão desconfortável quanto ter alguém gritando na sua cara. Mas quando você estiver trabalhando com a câmera, certifique-se de que toda a tela esteja recebendo o seu devido valor. Olhe o monitor (se você não tem monitor olhe pela câmera), certifique-se de que a tomada esteja se concentrando naquilo que você quer que os espectadores vejam, e exclua todo o resto. Um enquadramento fechado, preciso, dá estilo e impacto a um filme. Enquadramento instável e impreciso indica uma abordagem frágil e ausência de estilo.

Dois alertas: o primeiro é a respeito da margem de segurança. Ela é o limite do filme — aproximadamente dois centímetros de largura — que aparece em monitores e visores, mas não na televisão em casa. No que diz respeito a diretores, é uma área proibida. Portanto, não deixe na extremidade do filme nada que você quer que seus espectadores vejam: o seu *close-up* ou o de uma placa, por exemplo, acabará ficando alguma coisa como " OIBIDO ESTACIONAR " ou " ERIGO — NÃO ENTR ".

O segundo alerta refere-se ao tripé. Quanto mais fechada a tomada, mais difícil mantê-la firme. Isso é especialmente verdade com objetos que não se movem: placas de aviso são novamente um bom exemplo. A desculpa habitual para não usar tripé é "...não há tempo suficiente". Isso não convence. Usar o tripé realmente despende alguns segundos a mais, que não são nada se comparado com os minutos desperdiçados com as indecisões da tomada habitual. Se você quer economizar tempo, dispensar o tripé não é uma boa maneira de começar.

Há situações em que é impraticável usar um tripé — por exemplo, quando existe uma multidão ou um tumulto ou você está filmando dentro de um barco ou de um carro. Nestas e em outras situações, imagens instáveis talvez sejam inevitáveis, a não ser que você tenha um equipamento especial — *steadycam*. Algumas pessoas até gostam das imagens instáveis, acreditando que elas dão um toque de proximidade à filmagem. Acho que esse argumento é exagerado.

Quando foi a última vez que você viu imagens instáveis num filme de Hollywwod?

Filme superposições (repita toda a ação)

Muitos dos *close-ups* que você irá filmar serão ações repetidas: alguém lê uma carta que tirou do bolso em planos gerais e em seguida o faz novamente em *close-up*.

Faz o que em *close*? Lê a carta? Ou a tira do bolso?

Ele deve fazer ambos.

Por que não filmar apenas o *close* da carta com a pessoa lendo? Afinal, essa é a parte do *close* com maior chance de ser usada. Tudo bem, até você pensar no corte. O corte do plano geral da pessoa lendo a carta para o *close* dificilmente será perfeito — cortes entre duas tomadas estáticas raramente o são. E se (como acontece com freqüência) a pessoa segurar a carta de maneira diferente quando você filmar o *close*? O corte então será extremamente desagradável. Assim, o *close* da carta com a pessoa lendo oferece a você apenas um corte, o que também não parece muito animador. Se ele não funcionar, a única coisa que você pode fazer é abandonar o *close-up*.

Considere a diferença se você filmar superposições — isto é, repetir a ação toda em *close*: a pessoa tira a carta do bolso, tira-a do envelope, desdobra-a, lê e daí, por medida precaução, sai de cena. Isso abre todo um leque de opções na sala de edição.

Você pode cortar do plano geral para o *close* em qualquer ponto. Provavelmente o melhor ponto é cortar na ação quando a carta sai do bolso: cortar durante a ação, em geral, é um corte melhor do que cortar entre duas tomadas estáticas. Ou você pode cortar quando a carta está sendo tirada do envelope: o corte pode permitir que você deixe o ato de abrir o envelope mais curto, se isso parecer demasiadamente longo na tela. Ou você pode cortar quando a carta estiver sendo desdobrada: mais uma vez, você pode agradecer a possibilidade de diminuir qualquer ação vagarosa ou desajeitada.

Você também pode cortar de volta para o plano geral em qualquer ponto que desejar. Ou também pode permanecer no *close* até a pessoa sair de cena (ela poderá estar onde você quiser na próxima tomada). Ou você pode decidir deixar toda a ação transcorrer em *close* (presumivelmente os espectadores devem ter visto o seu personagem antes e irão vê-lo de novo). Ou você pode decidir, como antes, dispensar o *close* e deixar a cena ser exibida em plano geral.

Existe uma vantagem extra em filmar/gravar superposições: seu protagonista tem uma probabilidade maior de segurar a carta da mesma maneira, tanto no plano geral quanto no *close*, porque precisa desempenhar a ação completa nas duas vezes. Se ele mudar a maneira de segurá-la, cortar na ação irá lhe oferecer uma oportunidade de disfarçar a descontinuidade.

A tomada de superposições lhe oferece uma infinidade de escolhas na sala de edição. Realmente quero dizer uma infinidade, porque se a ação completa for repetida com precisão, você pode alternar entre o plano geral e o *close* em qualquer ponto (embora alguns pontos ofereçam um corte melhor do que outros). Superposições são a essência de filmar/gravar para editar.

Uma dica: faça com que seu protagonista repita a ação de maneira ligeiramente mais vagarosa no *close*. Quando as coisas são maiores no quadro, parecem se movimentar com velocidade maior. Na verdade algumas ações, como acionar um interruptor elétrico, acontecem de maneira tão rápida em *close* que o espectador irá perdê-las completamente se piscar os olhos.

Comece e termine com as pessoas fora da tomada

Já abordamos esse tópico quase em sua totalidade. Você se recorda de que sugeri que filmasse a ação completa, para fazer a superposição: "a pessoa tira a carta do bolso, a tira do envelope, a desdobra, lê e daí, por medida de precaução, sai da cena". É da última parte da ação, sair de cena, que iremos nos ocupar. Esse é um outro detalhe que aumenta suas opções na sala de edição.

O que acontece se o personagem não sai da cena? Se você desligar a câmera depois que ele lê a carta, provavelmente ficará limitado a cortar para uma tomada mais ampla da mesma ação. Cortar para uma tomada dele destravando sua bicicleta, por exemplo, provocará um "pulo" de edição com pouca probabilidade de ficar bom. Por outro lado, se ele sair de cena no fim do *close*, você poderá escolher o que quiser para a tomada seguinte: ele pode destravar a bicicleta, andar pela rua, estar sentado num ônibus, deitado na cama ou em qualquer lugar que você queira.

Portanto, como princípio geral, certifique-se de que a ação comece fora da cena no início e fique fora da cena no final. Para a tomada do homem destravando sua bicicleta, comece com a bicicleta (mantenha a tomada por aproximadamente dez segundos), faça o homen entrar em cena, destravar sua bicicleta e daí pedalar para fora da cena.

Ao fim da tomada certifique-se de que o câmera não faça um movimento horizontal para acompanhá-lo (a menos que você queira que a tomada dure um tempo longo, muito longo); mantenha a câmera imóvel e a bicicleta sairá depressa. Você descobrirá que essa técnica de começar-e-finalizar-fora-da-cena lhe oferece uma enorme liberdade quando você está editando.

A propósito, quando você começa com pessoas dobrando uma esquina ou fora de quadro, certifique-se de que você começou um pouco mais para trás. É preciso um pouco de tempo para adquirir velocidade. É surpreendentemente fácil descobrir que a pessoa dobrando a esquina acabou de começar a andar. Isso também é verdade para um carro, bicicleta ou alguém correndo: é fácil ver que estão acelerando quando deveriam estar em velocidade constante. Se você está registrando pessoas correndo, certifique-se de que elas estejam ofegantes em todas as tomadas; elas sempre recuperam o fôlego enquanto você está montando a próxima tomada.

Filme/grave planos de corte (procure a ação paralela)

Uma singularidade dos cortes intermediários: você não precisa começar nem terminar com pessoas fora da cena. Outra singularidade: filme/grave *inserts*, mas tente não usá-los.

O que são *inserts*?

Tomadas usadas para evitar "pulos" nos cortes.

O que são "pulos" nos cortes?

Você está editando uma entrevista e decide encurtar uma resposta. Isso produz um pulo de edição: a imagem pula porque a posição do entrevistado na tela está diferente, antes e depois do corte (a menos que você tenha muita sorte).

A maneira mais fácil de remover o pulo é por meio de seu *insert*; isso disfarça o pulo pela separação das tomadas descontínuas. O *insert* óbvio é uma tomada do entrevistador ouvindo — o contraplano a tomada familiar do entrevistador fazendo um aceno com a cabeça. Quando você perceber um contraplano saberá que houve um corte naquele lugar.

Uma maneira melhor de evitar o pulo é torná-lo ainda maior: em outras palavras, corte para uma tomada do entrevistado de um plano diferente ou colhida de outro ângulo. Se a diferença de ângulo ou plano for grande o suficiente, normalmente irá disfarçar a descontinuidade da imagem. O motivo (creio eu) é que se as imagens são muito semelhantes, o cérebro presume a ação contínua e não consegue deixar de perceber o pulo; se os ângulos ou planos são diferentes, o cérebro presume que a tomada mudou e se concentra na continuidade temática ao invés de se fixar na composição. Um pulo muito pequeno parece um pulo; por outro lado, um pulo grande, parece deliberado e funciona.

É difícil variar os ângulos e os planos das tomadas se — como geralmente ocorre — você tem apenas uma câmera e não tem o controle completo da ação. Não costuma ser prático, por exemplo, fazer o entrevistado repetir toda a entrevista para que você possa registrá-la novamente de um ângulo diferente ou em outro plano. Mas se você está filmando/gravando uma entrevista e por algum motivo necessita interrompê-la, vale a pena lembrar-se de mover a câmera e mudar o plano da tomada antes de continuar. Se você tiver tempo no final, repita as partes da entrevista que acredita terem mais chances de ser cortadas, para que possa tê-las em dois planos e de dois ângulos. A edição será mais fácil.

Lembre-se de filmar/gravar cortes intermediários, mas tente não usá-los (como eu disse anteriormente). O motivo é que os *inserts* não fazem a história avançar; eles existem por razões puramente técnicas (evitar pulos nos cortes). Dessa maneira eles diluem a ação e tornam as coisas mais lentas. Muitos produtores acreditam que eles são piores do que o erro que deveriam consertar e preferem fusões, efeitos cortina (*wipes*) ou os próprios pulos nos cortes, nus e crus — qualquer coisa, menos um *insert*. Depende da sua preferência e estilo.

A maneira mais aceitável de usar *inserts* é fazê-los adiantar a história. Numa entrevista isso significaria usar um *insert* apenas quando o entrevistado faz alguma coisa que vale a pena mostrar — risadas ou talvez levantar a sobrancelha de forma enigmática. Infelizmente, os pontos em que você deseja abreviar a entrevista não são os mesmos em que você deseja ver uma reação. A maioria dos cortes irá recair em lugares que exigem ausência de reação do entrevistador, a não ser que você queira lembrar aos espectadores que o entrevistador ainda está escutando, o que os espectadores de qualquer maneira acham óbvio. Se as orelhas do entrevistador abanassem ao escutar — isso poderia até ser uma cláusula de contrato — as tomadas que o mostram escutando seriam muito mais interessantes.

Em situações diferentes de entrevistas, entretanto, é mais fácil encontrar *inserts* que avançam a ação. Você está filmando um funeral, por exemplo. O cortejo leva uma eternidade para chegar até a rua e passar pela câmera. Na sala de edição você decide abandonar o meio da tomada: o carro fúnebre efetivamente pula rua abaixo. É praticamente certo que essa edição será inaceitável, como corte — o estilo e o ritmo estão em desacordo com a temática. Entretanto, um *insert* de acompanhantes chorando funcionaria bem, pois disfarçaria o pulo e avançaria a ação.

A maneira de testar se um corte intermediário avança a história é perguntar-se: "Eu faria essa tomada se não necessitasse dela como *insert*?" Se a resposta for um sim, você tem um *insert* mais do que aceitável. A maneira de descobrir tais tomadas é procurar a ação paralela, preferivelmente uma ação mais vigorosa (e visual) do que olhar ou escutar. Você sabe que encontrou algo realmente bom quando o centro da atenção está na ação, e não na equipe.

A maioria das ações, você irá descobrir, tem um paralelo, algo que está ocorrendo ao mesmo tempo. O desfile passa, a multidão acena; a banda toca, o maestro rege; a pessoa viaja, ela veio de algum lugar (ou está indo para algum lugar) onde alguma coisa que vale a pena mostrar está acontecendo. Se você filma/grava uma seqüência que irá precisar de muitos cortes para funcionar (por exemplo, um detetive procurando pistas no local do crime), procure a ação paralela e certifique-se de que irá cobri-la bem. Se você não consegue encontrar a ação paralela, tente entrecortar a seqüência com algo que a complemente, mesmo que não seja rigorosamente paralela no tempo e local (entrecorte o detetive investigando a cena do crime com tomadas dele entrevistando pessoas que conheciam a vítima). Obviamente, a ação paralela é o motivo por que a ação nos *inserts* não precisa começar nem terminar fora de cena (a "singularidade" que eu mencionei no início desse tópico). Registrar a ação paralela já lhe oferece a liberdade que você quer na sala de edição.

Último pensamento: onde está a ação paralela no filme tipo uma-única-pessoa-sozinha — na nossa casa-flutuante, no alto de uma montanha ou numa ilha deserta? Se você está filmando Robinson Crusoé, não haverá muita ação paralela para filmar até a chegada de Sexta-feira.

Faça um grande plano geral

Uma tomada geográfica mostra a locação inteira (o quanto for prático) ou a locação em seu ambiente. Em qualquer um dos casos, trata-se de uma visão geral que estabelece onde você está; ela é freqüentemente conhecida como vista geral (VG abreviado) ou tomada de referência.

Executá-la pode ser uma árdua tarefa, pois você precisará recuar a câmera e o equipamento para conseguir a tomada. Talvez você também precise movimentar os carros e furgões da unidade de filmagem, caso estejam obstruindo a tomada ou se ficar muito óbvio que pertencem à equipe. Um pouco de precisão pode evitar toda essa confusão: estacione seus veículos num lugar que você saiba que esteja fora de cena. Se isso não for prático, faça um grande plano geral antes de estacionar e desembarcar o equipamento, para depois começar a ação principal.

Você também deve fazer um grande plano geral para entrevistas, embora nesse caso não precise recuar tanto; recue apenas o suficiente para que os movimentos labiais de quem fala não fiquem visíveis. Você pode usar a tomada geográfica como *insert* e colocar o som da entrevista sobre ele. Certifique-se de que tem uma quantidade de imagens generosa de cada pessoa falando e escutando sem interrupção. Certifique-se, também, de que o entrevistador e o convidado estão levando a sério tanto a tomada geográfica quanto o *insert*. Se eles derem risada ou fizerem piadas por estarem aliviados com o fim da entrevista os *inserts* poderão ser impossíveis de usar.

Faça tomadas longas

Não faz sentido filmar/gravar horas e horas de fita se você não tem idéia de como irá usá-la. Isso faz a edição ficar cara e demorada. Ir ao extremo oposto — filmar/gravar cada tomada precisamente no comprimento que você imagina que irá necessitar e nem um segundo a mais — também é um erro. "Você precisa de um *insert* de três segundos de acompanhantes chorando?" (Buá, buá... três segundos). "Feito! Próxima tomada?" Parece incrivelmente rápido e eficiente na locação.

Quando você chega à sala de edição descobre que a velocidade foi mesmo incrível. Uma filmagem de três segundos na locação não irá fornecer três segundos de material utilizável. Se você estiver trabalhando em vídeo, precisará de cinco segundos de *pre-roll* do equipamento, caso queira superpor o som na edição; você também pode precisar deles para dar tempo para que as máquinas de edição se sincronizem (se você não estiver sincronizado, a imagem irá tremer um pouco depois do corte). Se você está trabalhando com filme, a tomada precisará de um momento ou dois para se estabilizar depois que a claquete foi retirada. Ademais, o que pareciam três segundos na locação acabam se mostrando dois segundos na sala de edição (na locação você está sob pressão e por isso seu sentido de tempo se acelera). Entretanto, você percebe que precisa de seis segundos — não de três — de acompanhantes chorando (a pressão também afeta a percepção). Para conseguir seis segundos utilizáveis depois da preliminar, você precisa filmar pelo menos dez. Quinze segundos seria melhor*.

"Não é longo o suficiente". Esse é um lamento freqüente entre editores, especialmente quando estão tentando cortar um material em que o câmera fez diversas tomadas sem parar — por exemplo, um executivo num computador, seguido de um *close-up* da tela do computador, seguido de um *close-up* do teclado. Se você estiver com pressa, é facílimo subestimar a duração necessária de cada parte dessa cena e acabar obtendo tomadas que são demasiadamente curtas para serem usadas.

Fazer tomadas longas é essencial para editar, assim como é uma maneira sensata de trabalhar em locação. Se você está dirigindo uma cena, deve completar as preliminares de cada tomada (pedir que todos fiquem quietos, iniciar a câmera e gravar uma preliminar) e daí

* A edição não-linear, ou seja, digital tipo Disk-B (em vez de A-B roll), ajudou a agilizar o trabalho de edição à medida que eliminou o tempo de sincronização entre dois VTs; contudo, o critério de tempo suficiente de material original, até por causa do *pre-roll*, continua válido. (N. do C.T.)

aguardar um momento antes de "dar a deixa" aos seus atores. Berrar "Ação!" com toda força não é a melhor maneira de começar a ação; isso pode fazê-lo sentir-se um diretor importante, mas raramente é eficaz para obter o melhor desempenho das pessoas. Com freqüência um "Quando você estiver pronto..." ou "No seu ritmo...", dito de maneira calma, funciona melhor.

No fim da tomada não berre: "Corta!" no momento em que a ação terminou. Espere um ou dois segundos (você pode necessitar esticar a tomada na sala de edição) antes de dar a ordem. Freqüentemente, peço ao câmera para cortar quando ele sentir que está na hora, pois está numa posição melhor para julgar quando uma ação realmente terminou. Isso é especialmente verdade para documentários: muitos momentos reveladores foram perdidos porque o diretor gritou "Corta!" cedo demais. Uma reflexão tardia, capturada pela câmera, pode ser altamente recompensadora na reportagem.

Sempre falta tempo na locação, independentemente do tempo de filmagem ou gravação: duas horas, duas semanas ou dois meses. Economize tempo enquanto você está montando as tomadas, não enquanto estiver filmando ou gravando. Faça tomadas longas.

Seja oportunista (organize duas tomadas de uma só vez)

Quando você estiver filmando/gravando permaneça atrás da câmera. Se você tiver um monitor, mantenha-o perto da câmera. Atrás ou perto dela você pode ver o ponto de vista da câmera e comunicar-se com o câmera. Você também poderá ver o que não está na tomada e talvez devesse estar.

Você está filmando um jardim lindo e uma borboleta passa voando; você está num campo do interior e um cavalo com charrete e chocalho passa por você. Se você estiver perto da câmera, estará no lugar correto para pedir ao cinegrafista que vá registrar a imagem. Vale a pena manter seus olhos abertos e aproveitar as oportunidades.

Às vezes uma interrupção da filmagem pode ser bem gratificante — se você for rápido o suficiente para reconhecê-la como um momento gratificante e não como uma interrupção. Uma criança entra inadvertidamente no quadro quando você está entrevistando a mãe dela. Não pare. Continue rodando e veja o que acontece.

Você está fazendo um *close-up* de uma pessoa martelando uma estaca de barraca no solo; se a câmera também estiver no lugar certo, você poderá fazer também uma tomada da corda de fixação sendo apertada. Aí não faz sentido parar e recomeçar cada tomada. Ao invés disso instrua o elenco e a equipe que você gostaria de fazer as duas tomadas de uma só vez. Então, terminando a tomada da estaca, mantenha tudo funcionando até que o câmera enquadre a corda de fixação. Quando a câmera e o som estiverem prontos, dê o sinal de ação e a segunda tomada está no papo.

O importante ao cultivar o oportunismo é certificar-se de que sua equipe e atores são capazes de acompanhá-lo. A contribuição deles para as tomadas pode ser muito mais complicada do que a sua, e talvez não seja fácil eles se concentrarem em duas coisas ao mesmo tempo, ou em rápida sucessão. Nesse caso não tente as duas tomadas em uma. O tiro pode sair pela culatra.

Mantenha as tomadas de ambos os lados do *zoom* (3 pelo preço de 1)

Se você está dando um *zoom* — numa placa em frente a um edifício, por exemplo — lembre-se de segurar o começo e o fim por aproximadamente 10 segundos cada um. Isto leva uns 20 segundos a mais na locação, mas você lucrará na sala de edição porque agora tem três tomadas pelo preço de uma e 20 segundos a mais. Você pode usar essas tomadas em separado, em pares, todas juntas (improvável) ou — no que se refere a tomadas estáticas — na ordem inversa.

Enquanto você está utilizando o *zoom*, faça um *zoom* inverso também (afaste-se da placa para mostrar o edifício). Outros poucos segundos investidos, uma outra opção criada para a sala de edição.

Use o *zoom* para o enquadramento

O *zoom* é um brinquedo sedutor. Pode ser gostoso usá-lo na locação, mas os resultados não são muito gostosos na sala de edição.

A melhor maneira de usar o *zoom* é para a composição. Quando você está realizando uma tomada, feche o *zoom* para eliminar a área morta em torno dos limites da imagem, e preencha o quadro com o que você quer que o espectador veja. Ou abra o *zoom* para se certificar de que as partes importantes da imagem não estejam se perdendo na margem de segurança (a área no limite da imagem que os aparelhos de televisão caseiros não mostram). Ou recue a câmera e feche o *zoom* ao máximo para aproveitar o efeito chapado que se cria — esse efeito pode ser extremamente atraente. Como auxílio para a composição, a lente *zoom* é formidável.

Entretanto, como movimento de câmera ele não é tão satisfatório. Em primeiro lugar, um *zoom* serve apenas em parte para dar vida a uma imagem estática. Pode parecer correto dar um *zoom* quando se está registrando uma cena ou objeto sem movimento — mesmo que seja somente para dar a sensação de estar fazendo alguma coisa, não apenas apontando a câmera. Mas o movimento artificial do *zoom* não vai acrescentar muita coisa de interesse ao filme. No fim das contas, filmes desinteressantes continuarão desinteressantes, com ou sem *zoom*.

Além disso é difícil saber a velocidade adequada do *zoom*. "Você quer um *zoom* de quanto tempo?", perguntará o câmera, assim que os enquadramentos inicial e final forem estabelecidos. Existe uma diferença muito grande entre — digamos — um *zoom* de 3 segundos e um *zoom* de 5 segundos, mas é difícil sentir a diferença. Tente contar enquanto você está imaginando a tomada. Ou não se arrisque e faça um *zoom* em cada velocidade.

Assim como a maioria dos movimentos de câmera, os *zooms* são difíceis de encurtar na sala de edição. Se você corta quando a câmera está se movendo, em geral o corte parece dar um tranco.

Finalmente, um número excessivo de *zooms* dá aos espectadores a impressão de estar a bordo de um navio balançando violentamente numa tempestade — não é exatamente fatal, mas desconfortável e indesejável.

Por outro lado, se usado cuidadosamente, o *zoom* pode ser eficaz. Numa tomada de multidão, por exemplo, feche o *zoom* para realçar especificamente uma pessoa, ou um grupo. Ou combine o *zoom* com outro movimento de câmera para que a tomada acabe perfeitamente enquadrada (conforme o automóvel vai se aproximando da entrada de veículos, dê uma *pan* e um *zoom* que terminem no anfitrião esperando ansiosamente para cumprimentar seu futuro sogro). Os *zooms* com freqüência funcionam melhor quando começam fechados (num bucólico chalé do interior, por exemplo) e então se abrem para revelar alguma coisa (a horrenda torre de eletricidade agigantando-se sobre ele).

Mas não deixe o *zoom* se tornar um vício. Por ser fácil, ele rapidamente se torna um substituto para a melhor maneira de filmar alguma coisa. Use-os parcimoniosamente e apenas quando tiver um bom motivo.

Ache motivos para movimentos de câmera

Na realidade todos os movimentos de câmera, e não apenas os *zooms*, devem ter um bom motivo. Uma tomada oscilante que termina num *close-up* da gravata de um homen (sem ter qualquer relação com a história) ou se movimenta a esmo para o lado para mostrar uma cadeira antiga irrelevante ("e daí?") parece que está fora de controle. As pessoas param de assistir a história e começam a se perguntar o que está acontecendo. Deveria haver uma legenda embaixo da tela: "ALERTA — CÂMERA DESCONTROLADA. O SERVIÇO NORMAL SERÁ RESTABELECIDO ASSIM QUE POSSÍVEL". Movimentos de câmera sem sentido chamam a atenção para si próprios. Se os movimentos têm algum motivo, as pessoas não olham para o movimento, olham para a imagem como um todo.

Motivar movimentos de câmera não é difícil; simplesmente deixe a câmera seguir a ação. A *pan* e o *zoom* do homem esperando para cumprimentar seu futuro sogro tem um motivo tão forte que a maioria dos espectadores não irá percebê-los. Também é lógico que a câmera vá até a gravata ou até a cadeira antiga se o entrevistado estiver falando delas. (Entretanto, provavelmente será melhor filmar a gravata e a cadeira como *inserts* e depois, na sala de edição, introduzi-los exatamente na posição correta e com a duração certa. Isso também oferece a oportunidade de editar as falas da pessoa sem ter de se preocupar com pulos nos cortes.)

Mantenha a continuidade de direção (não cruze o eixo)

Manter a continuidade de direção é um princípio de filmagem/gravação, que você precisa saber. Em princípio, você também deveria observá-lo; na prática há ocasiões em que isso não é necessário.

O princípio é que posições e direções de movimento devem ser consistentes na tela. Se um automóvel está trafegando da direita para a esquerda em uma tomada, ele deve continuar da direita para a esquerda na tomada seguinte — ou vai parecer que o carro deu uma volta.

Isso é verdade com qualquer ação na tela. Você deve continuar no mesmo sentido (direita, esquerda, para cima ou para baixo) se quer que as tomadas tenham significado numa seqüência.

Você deve manter a continuidade de direção, mesmo com coisas que não se movimentam. Se fizer duas tomadas de um estudante de artes examinando uma pintura numa galeria, o estudante precisa estar voltado para o mesmo lado em ambas as tomadas. Se ele está voltado para a direita na primeira tomada e para a esquerda na segunda, os espectadores começam a se perguntar de que lado está a pintura. "À esquerda, não é mesmo?" "Não — à sua direita". "Mas ele está olhando para um outro quadro agora... pelo menos, acho que está".

Há duas confusões aqui. A primeira é o problema de direita e esquerda. Estamos nos referindo à esquerda e direita de quem? Se eu estou na sua frente, minha esquerda está à sua direita, e vice-versa. A maneira de evitar essa confusão é sempre usar a direita e a esquerda da câmera e enfatizar que você o está fazendo, usando os termos "esquerda da câmera" e "direita da câmera". Então você diz coisas como: "Olhe à esquerda da câmera em ambas as tomadas" ou "Movimente-se para a direita da câmera". Assim todos saberão o que você está falando.

A segunda confusão vem de não saber onde colocar a câmera para manter a continuidade de direção. A maneira de evitar isso é imaginar as tomadas na tela. Se o estudante de arte está voltado para a esquerda da câmera na primeira tomada, ele deverá estar voltado para a esquerda da câmera na segunda tomada; assim você pode mover a câmera para qualquer lugar em que ele esteja olhando para a esquerda. Essa abordagem (imaginar a tomada na tela) sempre funciona. Ela também é um pouco mais fácil que o outro método, que consiste em descobrir onde está o "eixo".

Pense novamente no automóvel aproximando-se da entrada de veículos. O automóvel move-se da esquerda para a direita na primeira tomada. A maneira de mantê-lo na mesma direção em todas as tomadas é manter a câmera no mesmo lado da entrada de veículos. Se você fizer isso, o automóvel pode se movimentar em direção à câmera, cruzá-la ou se afastar dela — não importa, ele estará sempre indo da esquerda para a direita. A entrada de automóveis é de fato o "eixo". Atravesse a entrada/eixo e o automóvel mudará a direção na tela. Permaneça no mesmo lado e o automóvel sempre manterá a continuidade de direção na tela. Não importa o lado da entrada que você escolheu para começar a filmar; o que você não deve fazer é mudar o lado enquanto está filmando a seqüência.

Onde está o eixo na galeria de arte? Se você não sabe, descubra-o numa folha de papel. Desenhe um diagrama visto de cima. Coloque sua câmera de maneira que o estudante esteja olhando o lado esquerdo da câmera. Depois deslize a câmera em torno do estudante até que ele comece a olhar o lado direito da câmera. Você descobrirá que o eixo percorre o topo da cabeça do estudante ao longo do seu nariz até a pintura — você poderia chamá-la de seu eixo de observação. Leve a câmera para a transversal desse eixo e na tela ele começará a olhar para a direita.

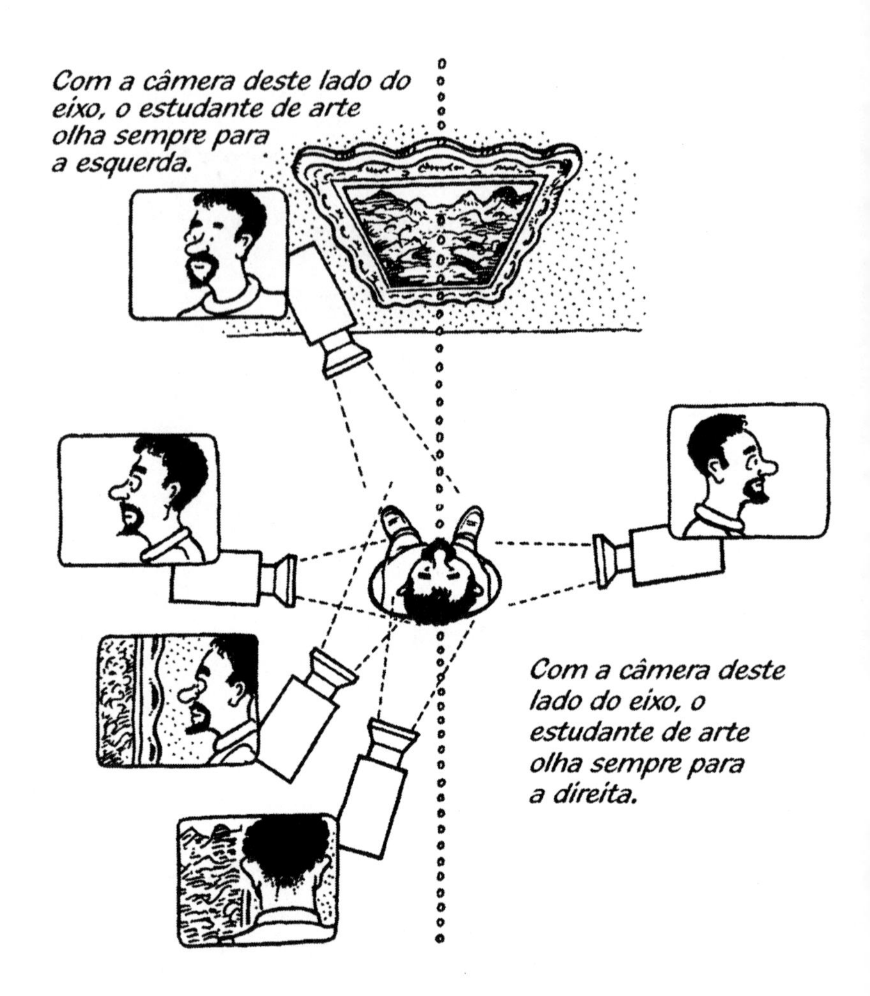

Agora suponha que o estudante seja um especialista contratado pela galeria para determinar se o quadro é uma falsificação. Você precisa de muitas tomadas em que ele apareça examinando a pintura, mas seria muito tedioso mantê-lo olhando para a esquerda da câmera o tempo todo. A maneira de acrescentar tomadas olhando para a direita da câmera, sem que isso pareça um erro, é colocar a câmera diretamente na frente ou atrás dele. As tomadas dessas posições são neutras no que se refere ao eixo de direção. Dessa maneira, após uma tomada pela frente ou por trás na sua seqüência de corte, você poderá introduzir uma tomada do especialista olhando à direita ou à esquerda da câmera — não faz diferença. Cada vez que você quiser mudar o eixo durante a edição, você introduz uma tomada neutra. As tomadas neutras no caso do automóvel aproximando-se da entrada de veículos seriam o automóvel vindo diretamente em direção à câmera (cuidado para não ser atropelado) ou se afastando diretamente da câmera.

Se você está utilizando duas câmeras, a necessidade de manter o eixo é que irá determinar onde colocá-las. Num comício político, por exemplo (em que o eixo, naturalmente, se propaga pelo rosto dos oradores, do palco e do público), você terá de posicionar as duas câmeras do mesmo lado do auditório, ou uma delas num dos lados e a outra no fundo; certifique-se de que você tenha tempo e oportunidade de efetuar tomadas neutras do palco (difícil) e do fundo do auditório, de modo a permitir cortes para a parte de trás e para a parte da frente cruzando o eixo. No caso de uma seqüência longa, pode ser aceitável cruzar o eixo sem ter de passar por uma tomada neutra todas as vezes, mas só depois que você já tenha estabelecido as posições do local. Os espectadores irão se lembrar de que o público e os oradores estão frente a frente.

Manter a continuidade de eixo torna-se complicado quando há mais de um eixo. Em discussões de grupo, cenas de tribunal e eventos em torno de mesas, como jantares comemorativos, encontros de diretoria e jogos de cartas, o eixo e as direções relativas mudam toda vez que você movimenta a câmera para mostrar o ponto de vista de uma outra pessoa. A maneira de sair dessa dificuldade é filmar uma tomada master e recorrer a ela toda vez que quiser restabelecer as posições do local. Previna-se também fazendo tomadas simples de atores olhando primeiro para um lado e depois para o outro, se você não tiver certeza de qual direção será a correta.

Também existe mais de um eixo quando atores atravessam juntos a tela — um cavaleiro montado, por exemplo, escoltando uma charrete conduzida por uma dama. Se você quer filmar *close-ups* do ponto de vista de cada uma das pessoas, uma deverá olhar à direita da câmera e a outra à esquerda. Isso não é problema, exceto que o cenário atrás da charrete e o cenário atrás do cavaleiro irão se mover em direções opostas, quando você cortar de um *close-up* para o outro. Isso acontece porque nessa situação existem dois eixos: o eixo de movimento e o eixo de visão. Será impossível você não cruzar um desses dois eixos, se quiser fazer tomadas dos pontos de vista de ambos os atores.

Ocasionalmente a continuidade de direção irá lhe criar problemas. Em geral a resposta é pensar em como será a aparência das tomadas em seqüência na tela. Se isso não funcionar e você não conseguir estabelecer onde está o eixo (ou qual deve ser aplicado), previna-se fazendo a tomada das duas maneiras. E tente não se preocupar. Em situações simples é fácil fazer direito; mas, se você está tendo problemas, é bem provável que a situação não seja simples.

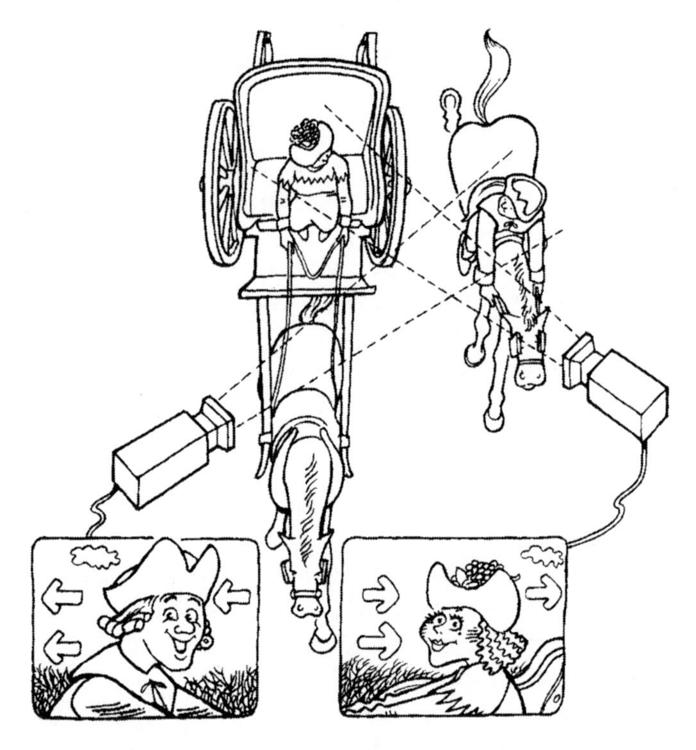

O cenário move-se em sentido contrário, quando você corta o eixo.

Existem ocasiões, em *shows* de música popular ou nos comícios políticos que mencionei anteriormente, em que é aceitável cortar cruzando o eixo, uma vez estabelecida a relação entre platéia e palco. Falando de maneira geral, você pode cruzar o eixo sem problemas se for capaz de fazê-lo sem que os espectadores percam o "fio da meada" do que está acontecendo. Dessa maneira, no exemplo do automóvel trafegando pela rua, é quase certo que os espectadores entenderão que o automóvel não fez nenhum retorno, se não havia razão para isso. Possivelmente as tomadas foram compostas ou com a finalidade de mostrar a velocidade do automóvel ou então a locação que estava sendo percorrida, e não o deslocamento do carro. Estamos agora no terreno das preferências pessoais e do "depende da situação..."

No final depende mesmo da preferência e da situação — e de quem você é. Cruzar o eixo é uma convenção útil. Se você é um diretor famoso, transpirando confiança, pode considerar-se liberado de seguir as convenções. Se você está aprendendo, é melhor observá-las.

Grave som direto (e fique em silêncio)

Filmes sem som são como comida sem tempero. Não têm sabor, nem graça. Eles necessitam de som para completar a experiência.

Alguns diretores acreditam que economizarão tempo se filmarem sem som. Eles podem economizar um pouco de tempo ao preparar a tomada, porque não precisarão se preocupar com o microfone. Mas os segundos economizados na locação irão custar horas durante a edição, despendidas na procura de som para preencher os vazios.

Efeitos sonoros de discos são um substituto de baixa qualidade para o som real. Eles são excelentes para suplementar o que foi gravado na locação, mas construir uma trilha completa a partir de discos é trabalho árduo e caro, com resultados que freqüentemente parecem pobres. Teoricamente você pode recriar qualquer som que deseje numa sala de dublagem; na prática, acabará usando alguns efeitos acústicos padronizados ("rua movimentada", "mercado", "quarto", "sala" etc.), que nem de longe se comparam com a infinita variedade de sons no mundo real.

Quanto a sincronizar todos esses sons de carros, passos e bater de portas com as respectivas imagens, esse é um problema que apenas produções importantes e de prestígio podem ser dar ao luxo de considerar. Programas de televisão modestos sem registro sonoro sincronizado rapidamente aceitam — são forçados a aceitar — fundo musical ou efeitos mais gerais. O problema do fundo musical é que ele desperdiça um canal direto para atingir as emoções dos espectadores. O problema dos efeitos sonoros não específicos é que eles não substituem o real.

Portanto, é uma atitude sensata gravar o som a cada tomada, não apenas o de quem está falando. Isso significa que você precisa dar ao técnico de som um tempo para encontrar a posição correta do microfone. E também precisa manter silêncio durante o trabalho de câmera; você não pode falar com seus atores durante a ação, senão sua voz entrará na pista sonora. Mas mesmo que você tenha de dizer uma palavra ou duas durante a filmagem, ainda assim é melhor filmar com som direto. Um bom som com uma interrupção ocasional do diretor é preferível a som nenhum. Cortar um comentário ocasional da direção é bem mais fácil do que montar uma trilha sonora desde o começo.

Minimize o ruído de fundo (se necessário, inclua o som posteriormente)

Naturalmente, em certas locações é impraticável filmar/gravar com som direto por causa do ruído de fundo.

Se o ruído for muito alto, ele pode abafar o som que você quer que seus espectadores ouçam. Você terá de esperar o ruído parar, ou pedir para que ele seja interrompido, ou, algumas vezes, encontrar uma locação mais silenciosa. Se ele durar muito tempo — como no caso do ruído de um avião passando —, você deve continuar gravando até que o som tenha desaparecido, mesmo que a ação tenha terminado antes. Isso lhe dá a oportunidade de abaixar gradativamente o som intruso, de maneira suave e imperceptível, durante a edição ou a dublagem.

A única coisa que você não deve fazer é ignorar o ruído de fundo. Uma vez na gravação, é praticamente impossível se livrar dele sem prejudicar o som que você deseja escutar, mesmo com numa sala de som completamente equipada. Além disso, ele irá parecer pior na gravação do que parece na vida real. Nossos ouvidos conseguem, até certo limite, selecionar o que queremos escutar na vida real porque o som vem de vários lugares. Mas eles não funcionam tão bem quando se trata de gravações porque a fonte do ruído freqüentemente não está na tela e todo o som vem do mesmo lugar, o alto-falante.

Portanto quando estiver fazendo tomadas de câmera, peça para as pessoas desligarem os aparelhos de ar-condicionado, geladeiras, máquinas de lavar, rádios, relógios com seus diversos toques, aspiradores de pó — qualquer coisa que esteja fora do quadro e, provavelmente, irá interferir no som que você quer. Se deseja filmar com um aparelho de TV, rádio ou CD tocando ao fundo, filme com um mínimo de som de fundo e grave-o posteriormente como uma trilha independente (para a TV, grave o som de um outro aparelho ou preocupe-se com a trilha depois). Isso lhe oferece liberdade total para cortar as imagens e o som do primeiro plano da maneira que desejar. A partir disso, você pode incluir sobre o som de fundo posteriormente.

Finalmente, lembre-se de que os ouvidos, como os olhos, enfraquecem com a idade. Por esse motivo muitas pessoas têm dificuldade de isolar palavras quando há um ruído ou música de fundo. Som que incomoda é uma das queixas mais comuns dos espectadores. Minimize o ruído de fundo e muita gente ficará agradecida.

Seja flexível quanto à ordem de filmagem ou gravação (mas atenção à continuidade)

Os filmes não precisam ser filmados na ordem certa, assim como os jornais não precisam ser lidos na ordem certa. Se você filma na ordem em que espera cortar, pode perder muito tempo mudando a câmera de posição e mais tempo ainda mudando a iluminação. Portanto, faz sentido realizar todas as tomadas que estejam com a mesma montagem e estejam na mesma locação, antes de passar para outras. Você deve selecionar as tomadas de que precisa em cada posição de câmera e em cada locação, e quando se está planejando a filmagem.

Por outro lado, não fique trocando a ordem de filmagem além do necessário. Os atores certamente não vão agradecê-lo por ter de embaralhar suas emoções conforme você vai embaralhando as cenas. Mesmo num documentário você pode estar procurando problemas se insistir em filmar a seqüência de fechamento em primeiro lugar; a experiência de realizar o filme pode modificar suas idéias a respeito dele e do seu desfecho. E a continuidade pode se tornar um pesadelo, tanto em um documentário quanto em ficção, se você ficar pulando muito de um lado para o outro. Pense antes de pular.

Verifique as gravações do vídeo, mas não com muita freqüência

Um dos prazeres do vídeo é que você pode rever as cenas na locação, imediatamente após efetuar a tomada. Faça uso desse privilégio de maneira parcimoniosa; não se perca em excessos. Verificar muitas vezes desperdiça tempo e baterias. Se você não tem certeza se uma tomada funcionou, freqüentemente é mais rápido expor suas dúvidas, sugerir aprimoramentos e, então, fazer outra tomada.

Mas não se esqueça de verificar suas gravações no vídeo após a primeira tomada numa fita nova e depois de se mudar para uma nova locação. Tanto em vídeo quanto em filme é possível deixar a câmera funcionando alegremente para depois descobrir que a fita ou o filme está com defeito. O vídeo lhe dá a péssima notícia mais depressa — basta você verificar.

Mantenha a simplicidade

A palavra de ordem é não complicar.

Tomadas extremamente complicadas em geral dão mais trabalho do que valem. Um *close-up* de um jovem motorista no espelho retrovisor. Ele olha para a esquerda quando vira à esquerda numa entrada de automóveis. A câmera abre o zoom para mostrar a entrada de automóveis e uma casa pelo pára-brisas. Uma jovem aparece na porta de entrada e corre em direção ao automóvel. O motorista salta do automóvel, avança correndo e a toma em seus braços. Ouvimos um outro carro, atrás do primeiro, dar uma freada brusca até parar. A câmara se move até o espelho retrovisor novamente e vemos que é um carro esporte cheio de jovens. Eles saltam do automóvel e correm para juntar-se ao casal que está se abraçando. A câmera abre um outro *zoom* para mostrar a turma toda se abraçando e se beijando.

É uma abertura sensacional.

Mas tudo em uma única tomada? Há problemas demais. Ambos os carros precisam parar exatamente no ponto certo. O rapaz e a garota também precisam se encontrar exatamente no ponto certo. O momento de entrar em cena tem de ser acertado com precisão por todos (rapaz, garota, carros e câmera): um único erro e o ritmo da seqüência se perde. A filmagem levará um tempo enorme para ser montada e serão necessárias diversas tomadas para obter algum material utilizável. Imagine então para sair tudo direito. E o problema final é que no momento em que você assiste o resultado na sala de edição, o material acaba ressaltando mais o brilhantismo do diretor do que contar a abertura da história.

Mantenha a simplicidade. Divida a ação em tomadas, monte a ação de cada tomada e deixe-a acontecer diante da câmera. Isso não é apenas mais fácil e mais rápido mas também oferece à sala de edição algum controle sobre o ritmo.

A técnica é importante nos filmes, mas hoje em dia o que importa é o conteúdo. Tomadas de câmera complicadas chamam a atenção sobre si mesmas; elas geralmente colocam a técnica antes do conteúdo. Mantenha a simplicidade.

EDIÇÃO

Faça a listagem e veja o material

Você realizou seu material de câmera de maneira a ter o máximo de escolhas na sala de edição. Agora é hora de aproveitar as oportunidades que você proporcionou a si mesmo.

Antes de mais nada, oriente rapidamente o editor. Diga-lhe qual a finalidade do programa, quais são as cenas mais importantes, o visual que você estava tentando conseguir com a câmera e o estilo que espera da edição. Alguns diretores dão ao editor uma orientação por escrito; outros preferem que as tomadas falem por si mesmas dentro do contexto geral que foi delineado. O melhor é deixar o editor escolher sua própria maneira de trabalhar.

É importante que o editor veja todo o material disponível antes de começar a editar. Algumas vezes a edição tem de começar antes do término da filmagem; procure organizar seus horários de maneira tal que você possa estar lá com ele para essa vista geral. O editor é o seu primeiro espectador e suas primeiras reações são importantes. As reações dele também serão mais espontâneas do que as suas, pois ele não esteve na filmagem. Você também deve trabalhar o material da maneira mais descondicionada possível. Esqueça os problemas que teve para a obtenção do material — eles não são mais relevantes. Tudo que importa agora está na tela. O que você captou com a câmera? O que isso diz? Como você pode usar?

Assistir a todo o material antes de começar a editá-lo fornece uma visão geral e permite avaliar os pontos fortes e fracos. Se você vê/edita seqüência por seqüência, está construindo no escuro, colocando tijolo por tijolo sem nenhuma idéia de como deve ficar a casa pronta. Se você não viu todas as tomadas, como pode tirar o máximo proveito delas?

Cena Take
27/2

Claquete

É fácil lembrar suas tomadas como imagens, não é tão fácil lembrar onde encontrá-las. Portanto, faça uma listagem de cenas para cada rolo ou cassette. Você precisará de uma claquete ou de um *time-code* para informá-lo onde a tomada está, seguido de uma pequena descrição.

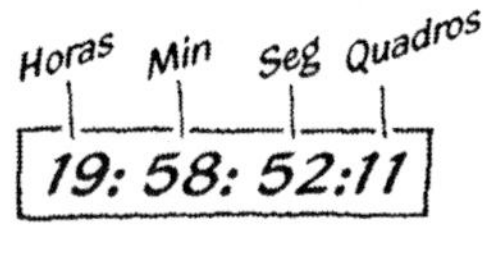

Time-code

Quanto mais material você tiver, tanto mais elaborada deve ser sua listagem de cenas. Para um tópico breve do seu programa de variedades você precisa apenas de um número e de uma ou duas palavras para identificar as imagens. Para um programa mais longo, você economizará tempo de edição fazendo uma lista mais completa antes de entrar na sala de edição. Isso deve incluir a primeira e a última palavras ditas na tomada. Para enredos com *script*, você descobrirá que vale a pena ter uma lista de cenas com notas sobre a continuidade; e você pode também assinalar no *script* as falas conhecidas como "guias", para mostrar o que cada tomada abrange. Quanto mais dessas falas houver ao lado de determinada marca do script, maior será a quantidade de maneiras que você poderá editá-la.

3. EXT. ESTACIONAMENTO DA COMPANHIA. MADRUGADA

(GUARDA DE SEGURANÇA SENTADO EM SUA CABINE TOMANDO CHÁ. RÁDIO TOCANDO. ELE LEVANTA OS OLHOS AO OUVIR O AUTOMÓVEL SE APROXIMANDO, RECONHECE RUSHMORE,LEVANTA A CANCELA E VÊ RUSHMORE INDO ESTACIONAR NA ÁREA VIP)

GUARDA:Êi! você não pode estacionar aí. Essa é a vaga do presidente.

RUSHMORE: Eu sou o presidente

(GUARDA SE APROXIMA PARA ABORDAR RUSHMORE)

GUARDA: O quê?

RUSHMORE: Eu sou o presidente agora.

GUARDA: Sim, senhor. O senhor tinha uma perua Volvo - vermelha - não tinha? Senhor Rushmore. O senhor é o presidente agora... senhor?

RUSHMORE: Eu fui indicado na semana passada. Você não soube?

GUARDA: Não senhor. Eu vou ter de conferir, se o senhor não se importar, ver se a lista está certa...

RUSHMORE: A comunicação interna precisa ser melhorada.

GUARDA: ...Mas o senhor pode ficar aí por enquanto.

RUSHMORE: Ah! Está bem, tudo bem.

(RUSHMORE TRAVA O AUTOMÓVEL E SAI)

GUARDA: Hum. Bem-vindo.Senhor. Naturalmente. (PARA SI MESMO). Todos são uns baita presidentes às seis da manhã.

Não se esqueça de dar ao editor uma cópia de qualquer lista que você faça. Vocês dois podem usar suas listas para anotar as melhores cenas e *takes* — a matéria-prima da montagem preliminar do filme.

Para chegar até essa etapa, você precisa de um plano de edição.

Faça um plano de edição

O plano de edição é uma "edição no papel" — uma lista para o editor das tomadas que você acha que vale a pena serem incluídas, na ordem que você acredita irá contar melhor a história. Ela não deve ser muito rigorosa; você conseguirá fazer um filme melhor se incluir todas as tomadas utilizáveis e então reduzi-las posteriormente. Assegure-se de que o plano de edição seja baseado nas tomadas que você tem, não nas que almejava ter. Portanto, não tenha medo de se distanciar da ordem do seu tratamento original, se a tomada o obrigar a isso. As tomadas que você planejou para a abertura, por exemplo, podem ter ficado um pouco sem graça; portanto, procure algo que cause mais impacto.

Quando estiver fazendo o plano de edição, não se esqueça do som; ele exige tanto planejamento quanto reflexão as imagens. Vale a pena anotar as fontes sonoras no plano do dia: som direto, música, efeitos, narração ou comentários, entrevista *off*. Você pode então conferir se deixou espaço para diversidade de fontes; pois o uso excessivo de apenas uma fonte pode ser monótono. O erro mais comum é ter uma narração seguida de entrevista, seguida de narração, seguida de entrevista... em outras palavras, uma torrente contínua de palavras do começo ao fim. Deixe espaço para o filme "respirar" e para os espectadores tomarem fôlego. O som de uma porta se abrindo ou de um automóvel partindo, deixado limpo sem narração, pode dar ritmo e forma para um filme/vídeo com tanta eficácia quanto pontos e vírgulas dão ritmo e moldam palavras.

Pense e decida quais tomadas terão texto e quais ficarão livres. Algumas tomadas — trens passando em alta velocidade, armas disparando, edifícios desabando — são fortes demais para aceitar narração; as imagens abafarão as palavras e o espectador perderá qualquer coisa que você esteja querendo lhe dizer. Outras tomadas — vista geral, planos gerais, pessoas lendo ou dirigindo — exigem narração e, em geral, não conseguem manter seu lugar no filme/vídeo quando ela não existe.

Por que não definir primeiro a narração e daí editar o filme de acordo com ela? O problema dessa abordagem é que induz você a contar a sua história com palavras em vez de com imagens. Assim você perde nuances como a de uma porta se abrindo ou a de um automóvel partindo; ou, ainda, destrói o efeito do barulho ensurdecedor de um trem passando ao suprimir o som direto e colocar a narração sobre ele. Nenhuma dessas tomadas parece ter impacto no papel — (X entra) ou (automóvel parte) ou (trem passa). Entretanto, na tela, tais incidentes não apenas oferecem alívio à torrente de palavras como também adicionam mais elementos à sua história. O modo como X entra — de maneira confiante, hesitante, ou qualquer que seja a maneira — pode comunicar muito aos espectadores; o trem passando pode dizer "urgente"ou "moderno" ou "decrépito e decadente" de maneira bem mais eficaz do que palavras.

Quanto antes a narração é definida, mais invasiva ela é. Se você a define antes da edição, limita o que o editor poderá fazer com as tomadas. As palavras dão a direção; o editor terá de fazer o que puder para conseguir as imagens para acompanhá-las. Se você dispõe de uma narração muito rígida desde o início, ainda antes de filmar/gravar, a tendência é a de procurar, tomadas compatíveis com as palavras ao invés das tomadas que contem a história (ver as próximas duas páginas). Falar sobre coisas acontecendo (em narração, entrevistas ou um texto para a câmera) é mais fácil do que mostrar coisas acontecendo. Mas é bem menos eficaz para os espectadores.

O ideal, obviamente, é o seguinte. Primeiro, faça a sua história acontecer o máximo possível em frente da câmera; depois edite as imagens e o som para que digam o máximo possível da história e, em seguida, insira a narração para aqueles trechos da história em que ela possa ser utilizada da maneira mais econômica e eficiente possível. Se você tiver de fazer pequenos ajustes, tudo bem. Somente quando as palavras assumam o comando é que as imagens vão a reboque.

Existem, obviamente, tipos de filmes/vídeos em que a narração é extremamente importante e contém elementos que, de maneira efetiva, precisam ser mencionados verbalmente (informações técnicas, dados históricos etc.). Às vezes é preciso defini-las ao menos para servir de guia para a edição. Nesses casos, sugere-se que ela seja flexível em relação ao texto inicial de modo a adequar-se às imagens disponíveis (filmadas ou gravadas, imagens de arquivo, computação gráfica etc.).

Se você escreve as palavras antes de filmar, você tende a procurar as tomadas que dão sentido às palavras.

"ESTAS ÁRVORES JÁ ESTÃO MORTAS..."

"OS GUARDAS FLORESTAIS ESTÃO RETIRANDO OS NINHOS VAZIOS"

"EXAMES MOSTRAM QUE A ÁGUA ESTÁ <u>PIORANDO</u> A CADA ANO."

PORTA-VOZ - "ESTAMOS INVESTIGANDO A HIPÓTESE DE A RESPONSABILIDADE SER DAS USINAS DE ENERGIA ELÉTRICA NO SUL."

"O FRIO ACABOU COM AS ÁRVORES DO NORTE. PARECE QUE A POLUIÇÃO TERÁ O MESMO EFEITO NO SUL."

Deixe as imagens conduzirem a ação.

Verifique a primeira montagem

O plano de edição leva à primeira montagem. Se você está usando vídeo, essa etapa é freqüentemente denominada edição *off-line*, pois é feita em máquinas sem qualidade broadcast, mais baratas. A edição final será feita em máquinas com qualidade broadcast, cara. Se você está usando filme, a primeira montagem é freqüentemente chamada de primeiro corte.

A primeira montagem é importante porque é a primeira vez que você e o editor podem avaliar como fica o material de câmera ao ser juntado em seqüência. O efeito de uma tomada sobre a outra não é sempre previsível. No plano de edição a tomada A seguida da tomada B parece ser uma boa idéia; a tela acaba mostrando que A inunda B ou torna B irrelevante, ou a própria imagem A torna-se irrelevante quando seguida de B. Ou ambas as tomadas ficarão mais eficientes se sua ordem for invertida. B A.

A mesma coisa se aplica a seqüências inteiras.

Passe a primeira montagem avaliando como cada pedaço funciona. As tomadas e seqüências estão na ordem correta? Elas contam a história direito? Você precisa de todas elas? A estrutura está correta? Ela está demasiadamente previsível? Existe alguma surpresa? Como isso pode ser alterado?

A primeira montagem é uma etapa excitante da elaboração de produto. Até agora não havia nada concreto, apenas idéias, planos, tomadas e sons para um filme ou vídeo. Agora existe um produto, uma coisa que se movimenta, viva, que existe no tempo e assume uma vida e forma próprias. E a criação foi sua...

A próxima etapa é melhorá-lo. Isso inevitavelmente irá envolver mudanças. Se você está editando o filme, não há problema porque pode aparar tomadas, invertê-las ou desistir delas, cortando-as fisicamente na película. O vídeo já é mais problemático porque você não pode cortar fisicamente a fita. Quando diminui o tamanho de uma tomada, você não diminui o tamanho da fita — apenas utiliza menos fita. Dessa maneira não pode retornar para fazer mudanças num vídeo; você pode trabalhar apenas para a frente. Isso desencoraja a experimentação, mas, na prática, não chega a ser um problema muito grande. Se você tem um programa em que as tomadas e seqüências necessitam de muitas mudanças de posição, vale a pena dividi-lo em duas ou três partes na etapa *off-line* e editar cada parte em cassetes separados. Se você prevê uma edição realmente difícil, pode transferir todo o seu material para o filme e editá-lo em filme. Algumas pessoas preferem fazer isso sempre.

Elabore os detalhes

No momento em que sua primeira montagem está pronta, já está aproximadamente na metade da edição. Você verificou o formato geral e o impacto; agora é hora de se dedicar aos detalhes.

Olhe cada tomada e assegure-se de que essa é a **melhor tomada** e a **melhor parte da tomada** para contar a sua história.

Observe cada tomada e certifique-se de que ela tem **a duração correta**. Ela aparece e vai embora depressa demais? Ou permanece mais tempo do que o desejável? Quanto mais detalhada e interessante for a tomada, mais tempo você poderá deixá-la na tela. Se as tomadas vizinhas se referem à mesma cena; os espectadores receberão a mensagem mais depressa e o seu corte poderá ser mais preciso; se a tomada é a única da cena, provavelmente terá de permanecer na tela por mais tempo. Julgar a duração da tomada na tela é difícil; você precisa "intuir". Mas sempre existe uma duração ideal; e quando ela parece estar correta e a intuição diz que está correta, provavelmente estará correta. Mantenha cada tomada na tela durante o tempo que ela prender a atenção, nenhum momento a mais.

Você descobrirá que essas decisões sobre o tempo de duração serão as responsáveis pela maior parte de suas angústias; seu julgamento sofre à medida que você vai ficando mais familiarizado — talvez familiarizado demais — com o material e à medida que vai ficando mais cansado. Mas existe uma boa regra geral para a edição: **mais curto é melhor**. Se estiver em dúvida, corte.

Por outro lado, **não corte a menos que você seja obrigado.** Algumas tomadas podem permanecer na tela por 30 segundos ou mais porque cobrem a ação e mantêm o interesse do espectador. Não faz sentido cortar para a tomada B se ela não adiciona nada ao que os espectadores já sabem da tomada A. Você não precisa usar todas as tomadas que possui de determinada ação: **cada tomada deve fazer a ação progredir**.

Elimine as tomadas redundantes. Elas deixam tudo mais lento e enfraquecem o rumo da história. Seja gentil com seus atores e câmeras e deixe de fora as tomadas em que eles não foram bem — não coloque as tomadas indiscriminadamente dizendo "não é minha culpa se a atuação não está boa" ou "não é minha culpa se o foco está instável". É sua função **fazer sua equipe aparecer bem**.

E **não seja exageradamente otimista**; se você não tem certeza de que uma tomada funciona, é praticamente certo que ela não irá funcionar para os espectadores.

Se for um plano contínuo (a câmera movimenta-se para seguir a ação), você terá de mantê-la até o fim do movimento da câmera.

Cortar durante um *zoom,* uma *pan* ou *track* raramente fica bom. **Portanto, não corte durante movimentos de câmera**. Entretanto, algumas vezes, um corte para outro *zoom, pan* ou *track* exatamente na mesma velocidade pode funcionar.

Se você tem tomadas que se superpõem, **corte na ação**. Assim, se tiver uma tomada longa de alguém se dirigindo a uma poltrona e se sentando, seguida de uma tomada mais próxima da mesma ação, corte no ponto em que a pessoa desaba na poltrona. Se o editor cortar alguns quadros do centro do movimento de maneira que o ato de sentar ocorra de maneira mais rápida na tela do que na vida real, a transição entre os dois cortes será ainda mais suave.

Um **som característico**, tal como uma porta batendo ou um zíper se abrindo, também pode oferecer um bom ponto de corte. Se a continuidade nas suas tomadas superpostas não estiver bem ajustada, o corte de som e/ou da ação irá levar bastante tempo para esconder o erro. Se os espectadores tiverem de absorver muita informação ao mesmo tempo (som, ação e mudança de tomada), ficarão atentos à continuidade. Se você fizer o som característico suficientemente alto, eles provavelmente irão piscar e nem perceberão o corte.

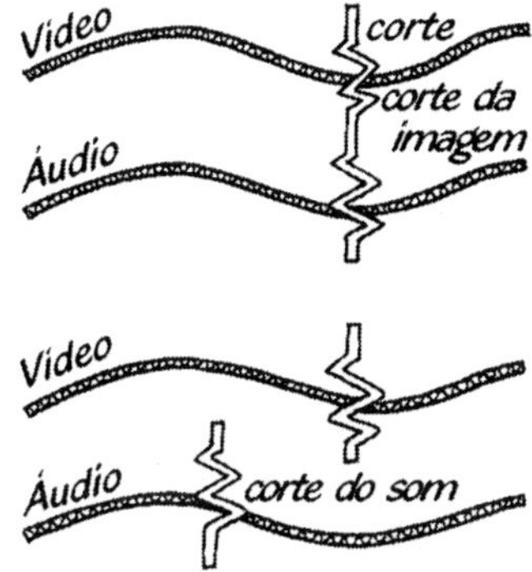

Seus cortes também serão menos invasivos se você **evitar cortes paralelos** — em outras palavras, não corte som e imagem exatamente no mesmo ponto.

Se a transição do som vem um pouquinho antes ou depois do corte da imagem a edição parecerá e soará mais suave.

Não corte entre tomadas de mesma duração da mesma coisa, se isso provocar um pulo. Se houver uma mudança de ângulo entre as duas tomadas, o corte poderá funcionar; quanto maior a diferença de ângulo entre as duas tomadas, maior a probabilidade de o corte funcionar. Assim, cortar entre dois *close-ups* da mesma pessoa parecerá horrível quando houver uma pequena variação de ângulo; por outro lado, poderá ser aceitável se você passar de uma tomada frontal para outra mais lateral com o mesmo enquadramento. Entretanto, o corte ficará ainda melhor, se a tomada mais lateral for um enquadramento diferente.

Cortar entre **câmeras cruzadas** de pessoas conversando uma com a outra em geral é problemático, porque os interlocutores pulam na tela quando você focaliza primeiramente um e depois o outro. Os cortes funcionarão melhor se as tomadas se encaixarem uma na outra com precisão, tanto em enquadramento quanto em ângulo. Mas a continuidade pode continuar sendo um problema, pois precisa estar correta para ambos os atores antes e depois do corte; na prática, geralmente o corte funciona se a continuidade estiver correta para a pessoa que aparece na tomada que está entrando. A maneira de contornar essas dificuldades é não deixar de cobrir a conversa também com tomadas contínuas sobre quem está falando; ou seja, não interromper o registro de nenhuma das câmeras durante o diálogo.

Cortar entre **duas tomadas de um objeto estático** é sempre difícil pois não há ação para disfarçar o corte. A melhor maneira de fazer funcionar um corte desse tipo é certificar-se de que existe uma grande mudança de ângulo e enquadramento entre as duas tomadas.

Se você tiver uma **montagem de tomadas** — por exemplo, turistas observando uma catedral em toda a sua volta — não fique apenas inserindo tomadas a esmo; tente encontrar uma ordem que faça algum tipo de sentido visual. Talvez seja conveniente alternar tomadas de pessoas muito interessadas na arquitetura, por exemplo, com tomadas de pessoas e crianças não interessadas; ou faça o contraste entre a lojinha de lembranças da catedral repleta de pessoas, e as caixas de donativos completamente vazias ignoradas.

Não deixe de observar **o ritmo e a dinâmica** dos cortes, pois eles é que irão dar estilo ao seu programa. Você precisa retornar de vez em quando e verificar o efeito geral, assistindo a algumas de suas seqüências de corte sem parar. Essa revisão também acabará evidenciando os cortes que não estão muito bons. Não tenha medo de fazer ajustes de última hora: alguns quadros a mais ou a menos podem fazer uma diferença enorme.

Por outro lado, **não deixe os cortes se tornarem previsíveis**. Se o ritmo e a dinâmica não mudam nunca e não há surpresas, o filme pode se tornar monótono. Você precisa estar sempre um ou dois passsos à frente de seus espectadores

Os melhores cortes num filme passam despercebidos, porque são suaves e trazem informação nova à tela exatamente quando os espectadores a querem. Por outro lado, cortes ruins chamam atenção para si mesmos. Eles pulam. Ou (como a pontuação dessa sentença) eles, estão — fora do lugar.

Esse é o problema dos *mixes* e *fades*: eles chamam a atenção. Naturalmente, funcionam muito bem como transição entre cenas, ou para acentuar a passagem do tempo, embora estejam um pouco fora de moda. A melhor maneira de empregá-los é quando você deseja acentuar um contraste entre dois objetos ou detalhes que estão exatamente na mesma parte da tela. Mas como recurso habitual para se passar de uma tomada a outra, os *mixes* demoram mais do que cortes e atrapalham mais. Eles também dificultam a vida de qualquer produtor de programas que queira usar suas tomadas como material de arquivo: é difícil achar um ponto de entrada e um ponto de saída limpos numa metragem de fita que está cheia de *mixes*.

Os filmes/vídeos são feitos na sala de edição

Editar compensa o esforço. E também consome tempo: para um filme curto, demora pelo menos o dobro do tempo gasto para filmar; para um filme longo, talvez três vezes o tempo de filmagem — ou mais. (Para aqueles que trabalham com vídeo, o tempo de edição inclui o tempo *off-line*, em que você deve fazer o máximo possível do trabalho detalhado mencionado acima).

Por que leva tanto tempo?

Primeiro porque há muitos cortes a serem feitos. A maioria dos filmes/vídeos tem de seis a dez cortes por minuto; considerando oito cortes por minuto, num programa de meia hora serão feitos 200 cortes. Edições exclusivas para som podem adicionar outros 50 cortes. A tecnologia e as técnicas para encontrar cortes estão ficando cada vez mais rápidas, mas 250 cortes ainda é bastante trabalho a ser feito.

Segundo, quantos cortes se encaixarão bem na primeira vez? A taxa de sucesso aumenta com a experiência, mas nunca é 100%. Editar é mais uma arte do que uma ciência.

Terceiro, a sua reflexão vai se desenvolvendo conforme você vai trabalhando no programa: você vê novas formas de justapor o material, cortar mais curto, maneiras melhores de contar a história. Se pudesse apressar esse desenvolvimento, encontrar boas soluções sem ter de passar antes pelas más soluções — de fato, se você pudesse ir de A a C, sem ter de passar por B —, editar seria muito mais rápido.

Obviamente, é impossível editar o que não foi filmado/gravado. A edição irá inevitavelmente expor espaços vazios no seu material: tomadas essenciais — talvez uma seqüência inteira — que estão faltando. Se você está fazendo um longa-metragem, pode valer a pena ter um dia de filmagem à disposição para preencher as lacunas. Entretanto, na prática, não confie demais no seu dia extra. Ele pode funcionar bem para fazer uma abertura ou uma série de depoimentos para a câmera (se este for o estilo do filme que você está fazendo). Mas como forma de remendar seqüências deficientes, não funciona tão bem. Para quantas locações você pode retornar em um único dia? Os seus atores ainda estão disponíveis, dispostos a colaborar com a mesma aparência? (um corte de cabelo pode arruinar a continuidade). Quando você começa a pensar em filmar/gravar mais uma vez, os problemas aparecem.

Existem três outras maneiras de lidar com as lacunas. Ilustrações gráficas são boas para condensar informações e apresentá-las de maneira atraente, mas você precisa ter sorte para que essa solução seja adequada ao seu problema. Efeitos de vídeo podem manipular suas imagens de numerosas maneiras, mas a manipulação funciona apenas quando você já tem quantidade razoável de bom material desde o início; se não tiver, não existe mágica visual capaz de ocultar as deficiências. A terceira maneira de lidar com espaços para vazios — freqüentemente a melhor, se você conseguir que sejam aceitos — é deixar que continuem vazios. Os espectadores geralmente criticam mais o que é excessivo do que aquilo que é deixado de fora.

Por fim, quanto tempo você deve ficar com o editor? Isso depende de você e dele, já que os filmes são feitos na sala de edição, parece sensato que você esteja lá. Se você passa longos períodos longe da sala de edição, sua noção sobre as tomadas e a maneira como elas devem ser reunidas não se desenvolve; e suas idéias ficam encalhadas na fase do plano de edição. Daí você é obrigado a concordar com as idéias do editor ou talvez pedir-lhe que experimente sua idéia original, aquela que você acha que ele não entendeu e que ele sabe que não funcionou... e tudo isso desperdiça tempo. A sala de edição é o lugar em que suas deficiências como diretor ficam mais expostas. Portanto, é o melhor lugar para aprender com seus erros.

O outro argumento para estar na sala de edição se torna claro quando você está lá dentro: editar é algo criativo e uma tremenda fonte de satisfação. Para muitas pessoas é a parte mais gostosa de realizar programas.

ENTREVISTAS

Vá em busca de opiniões, experiências, histórias ilustrativas ao invés de fatos

Não despreze a cabeça falante; ela pode ser a coisa mais interessante da televisão. E também a mais chata. Parece ser a coisa mais fácil de fazer; também pode ser a mais difícil. Bem produzida, a cabeça falante parece totalmente natural — a arte que faz isso funcionar oculta a si mesma. Mas uma boa entrevista é na verdade uma atuação. Somente quando ela dá errado é que você percebe que o que parece natural é de fato artificial.

O objetivo de uma entrevista é obter um comentário em primeira mão. Você o quer diretamente da boca do forno: as opiniões pessoais, experiências, as histórias ilustrativas que só o entrevistado pode lhe dar. Um excesso de perguntas sobre fatos inquestionáveis faz o entrevistador parecer o apresentador de um programa de prêmios para respostas certas: "Em que ano as Nações Unidas foram fundadas?", "Onde está localizada a sua sede?", "Quem foi seu fundador?" Se esses fatos são importantes, devem aparecer na introdução da entrevista. O seu entrevistado deve ter coisas mais interessantes a dizer sobre os primórdios da ONU. Ele também deve ter histórias para contar, porque histórias são o que o espectador lembra. Se não as tem, a entrevista não se justifica.

Faça uma revisão geral

A revisão geral é uma sessão antes da gravação ou transmissão para que o entrevistador e o entrevistado discutam sobre o que irão falar. Você deve tomar parte da revisão geral mesmo que a produção conte com um entrevistador ou um repórter especializado. Você é a pessoa que vai encaixar a entrevista no restante do programa. Além disso, duas cabeças são melhores que uma quando se está tentando extrair o melhor de um entrevistado.

A revisão geral não é um ensaio. Se você dá ao entrevistado todas as perguntas e ele lhe dá todas as respostas, a entrevista propriamente dita será uma repetição soando e parecendo como tal. E se você realmente estiver sem sorte, o entrevistado ficará falando a todo momento "Como eu estava dizendo anteriormente..." ou "Como eu disse antes..." isso será um lembrete para você de que ele tem consciência de estar se repetindo e não ajuda em nada a ilusão de espontaneidade que você está tentando criar.

A revisão geral pode ser bem curta. Delineie as áreas sobre as quais você quer conversar. Faça uma sondagem — das áreas que podem ser interessantes — ou não — de serem exploradas ("O que você diria se eu lhe perguntasse..."). Considere as sugestões do entrevistado ("Você quer que eu fale sobre...?", "Devo mencionar...?"). Se o entrevistado tenta delimitar áreas proibidas, conceda uma margem de segurança (você provavelmente não terá tempo para explorar tudo durante a entrevista), mas seja firme quanto a entrar no miolo da questão.

O que acontece se você não faz uma revisão geral?

O entrevistador fica sem saber a melhor maneira de abordar o entrevistado e dessa forma muitas de suas perguntas não produzem o efeito desejado. O entrevistado não sabe a respeito do que o programa é ou o que se espera dele e, portanto, não pode dar o melhor de si. Ambos os participantes não estão à vontade e a entrevista não fica tão boa quanto poderia ficar.

Considere a pergunta como um instigador (seja desafiador)

O entrevistador não deve arrancar cada palavra do entrevistado como se fosse um promotor público interrogando uma testemunha relutante. O ideal é que seja capaz de usar as perguntas como instigação, orientando o entrevistado quanto ao terreno a ser coberto, assegurando-se de que ele não se perca. Se você preparou bem o terreno na revisão geral, o entrevistado deverá saber o que se espera e dará o melhor de si para passar as informações. Ele quer que a entrevista seja um sucesso tanto quanto você.

As piores perguntas são aquelas que convidam respostas curtas ou do tipo sim/não, especialmente no começo da entrevista.

"Quando você foi para Nova York?" "Quinta-feira passada." "Quanto tempo você ficou?" "Três dias." "A audiência no tribunal foi sexta-feira?" "Sim".

Você irá descobrir que as perguntas que pedem respostas curtas ou do tipo sim/não são aquelas que trazem os fatos à tona e que você deveria ter feito na revisão geral; as respostas contêm as informações que você deveria ter colocado na introdução da entrevista. A entrevista em si deve levar o espectador além dessas preliminares. O melhor é você se imaginar representando os telespectadores fazendo as perguntas diretas sem os rodeios que eles fariam. Depois de pesquisar exaustivamente um assunto você sabe tanto sobre ele que se esquece das perguntas que o espectador comum gostaria de ver respondidas.

A maneira como você pergunta depende de como você pretende usar a entrevista. Se pretende cortar as perguntas e usar apenas as respostas, provavelmente você se sairá melhor não fazendo pergunta nenhuma. Em vez disso use o "Diga-me...". "Diga-me o que aconteceu quando você chegou à ONU". "Diga-me o que as pessoas esperavam da nova organização".

A vantagem do "Diga-me..." é que ele estimula o entrevistado a dar uma resposta completa; ele não pode responder apenas "sim" ou "não". Dessa forma, é bem mais provável você conseguir resposta com um começo que faça sentido ao cortar as perguntas na edição. "Eu me lembro, cheguei em Nova York numa quarta-feira e..." "Naquela ocasião a Segunda Guerra Mundial estava no auge e...".

Se você perceber que a resposta não irá fazer nenhum sentido sem a pergunta e que o contexto do assunto não está claro, não tenha medo de interromper o entrevistado e sugerir-lhe que reinicie sua resposta com as palavras que você queira. Mas não interrompa a não ser que seja absolutamente necessário. As duas respostas acima, por exemplo, fazem sentido sem as perguntas, embora não se refiram diretamente à questão.

Anote integralmente a primeira pergunta

Se você pretende manter as suas perguntas na entrevista, avise o técnico de som, pois isso afeta a escolha de microfones. Em seguida, anote integralmente a primeira pergunta e anote apenas uma frase resumida para as outras. Isso faz suas perguntas parecerem mais naturais, pois a maneira como você apresenta as suas perguntas irá refletir automaticamente o que ocorreu antes, uma qualidade que elas não irão possuir se você escrevê-las integralmente com antecedência. Essa técnica também lhe oferece um bom argumento para resistir à exigência de apresentar todas as perguntas por escrito antes da entrevista. Você pode ter de ceder a esta exigência (ela é comumente feita por pessoas muito importantes), mas em geral uma lista de tópicos que você pretende levantar irá satisfazer o entrevistado.

Não seja demasiadamente simpático com o entrevistado

Quando você está fazendo as perguntas durante a entrevista, certifique-se de que não irá interromper o entrevistado e abreviar suas respostas. Alguns entrevistadores têm o hábito de fazer exatamente isso, tornando as entrevistas difíceis — às vezes impossíveis — de editar, porque o entrevistado nunca consegue terminar uma resposta e não existe nenhum lugar para o editor aplicar sua tesoura.

Uma última armadilha a ser evitada. Não seja demasiado simpático com o entrevistado. As entrevistas devem ser desafiadoras, não porque você esteja pretendendo provocar uma briga, mas porque as pessoas têm desempenho melhor quando precisam se justificar. Perguntas excessivamente educadas e humildes como "De fato, o senhor foi extremamente perspicaz na maneira como lidou com essa questão, não é verdade?" colocam o entrevistado numa posição impossível. Concordar soa extremamente afetado. Discordar soa falso. Uma mistura dos dois ("Na verdade não; foi uma tremenda sorte") soa simultaneamente falso e afetado. Qualquer que seja a resposta, a entrevista fica estagnada. Um entrevistado inteligente ignoraria a pergunta e falaria sobre outra coisa.

Não tenha medo de parar

É difícil entrevistas ficarem boas. Se você não acerta da primeira vez e a entrevista não é ao vivo, não tenha medo de interromper a gravação e refazer uma parte ou toda a entrevista novamente.

Você precisa recorrer ao seu discernimento sobre como usar esse recurso. Quando começa a gravar, você freqüentemente percebe que o entrevistado fica tenso, se você interromper após algumas trocas de frases e recomeçar em seguida, ajudará imensamente o entrevistado. O alívio da tensão quando você pára é quase tangível — é como se o entrevistado parasse de prender a respiração. Quando você recomeça, a pressão diminui bastante e você consegue uma entrevista melhor. Para que essa válvula de segurança funcione, você precisa parar a câmera: a intensidade do alívio será muito menor se a câmera continua funcionando enquanto o entrevistador encoraja o convidado a relaxar.

Em outras ocasiões, não é necessário parar a câmera. Uma pausa é suficiente quando, por exemplo, você está fazendo um tipo de entrevista em que pretende cortar as perguntas e uma resposta não começa com clareza suficiente para sustentar sozinha. Você também pode manter a câmera funcionando se pretende apenas mudar o tamanho da tomada ou está entrevistando diversas pessoas ao mesmo tempo.

Mantenha o entrevistador perto da câmera

Esta é a regra de ouro para se filmar/gravar uma entrevista, seja em locação seja em estúdio.

O motivo é simples. As pessoas tendem a olhar umas para as outras quando estão conversando e, portanto, se o entrevistador estiver perto da câmera, será possível uma tomada da face inteira do entrevistado. Tomadas totalmente de perfil de um único olho são menos satisfatórias porque restringem a informação que os espectadores recebem do rosto. Essas tomadas podem funcionar como uma variação à tomada frontal de face inteira numa entrevista longa, mas se você não oferece nada além de uma tomada de perfil, os espectadores se sentirão privados de infromação.

Em geral você faz uma tomada de perfil quando o entrevistador decide começar com uma introdução para a câmera. Ele olha diretamente para a câmera, diz a sua parte e se vira para o entrevistado. A câmera dá um *zoom* e uma *pan* para mostrar o entrevistado e pronto! — você tem dois interlocutores falando perpendicularmente à câmera, a situação clássica criadora de perfis. A regra de ouro foi quebrada: o entrevistador não está perto da câmera.

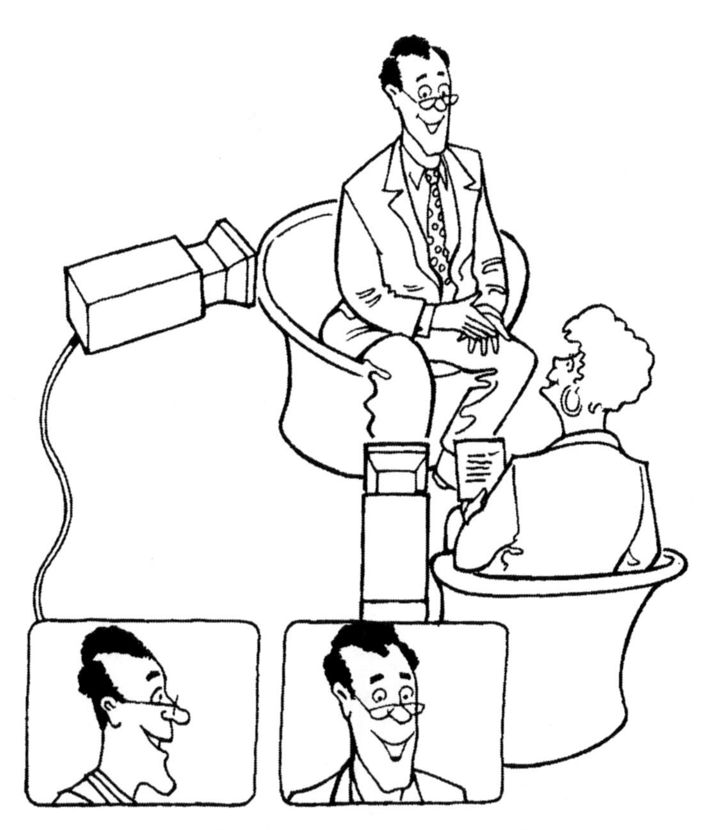

Quanto maior a distância entre o entrevistador e a câmera, mais lateral é a tomada

Então como o entrevistador passa da situação de estar de pé em frente à câmera, para perto da câmera? Existem duas maneiras. A primeira é dar um passo em direção à câmera ao se virar para olhar para o entrevistado. Isso o desloca para uma posição perto da câmera e, portanto, tudo está como deve ser. No entanto, inicialmente a sensação de dar um passo e girar o corpo ao mesmo tempo é muito estranha, portanto o entrevistador deve praticar algumas vezes antes de filmar. Isso também oferece ao câmera a oportunidade de ensaiar a sua parte nos procedimentos.

A segunda maneira (e mais fácil) é posicionar a câmera em um dos lados, de maneira a obter uma tomada de toda a face do entrevistado quando o entrevistador girar para ficar diante dele, após a introdução.

Eu disse no início que ficar perto da câmera é a regra de ouro, tanto para entrevistas de estúdio quanto as de locação. A única diferença é que no estúdio você tem duas câmeras e, portanto, essa técnica é duplicada: cada interlocutor fica perto de uma das câmeras (ou — na prática — cada câmera fica perto da linha de visão). Isso lhe oferece o posicionamento "tomadas-cruzadas", que é padrão para entrevistas de estúdio.

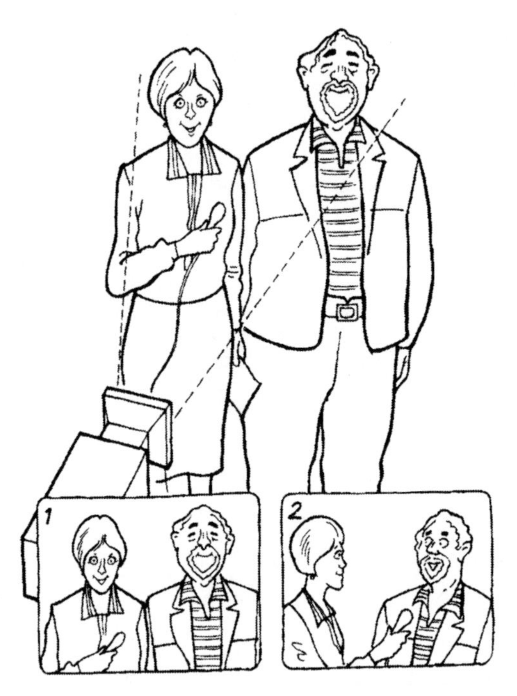

Posicione a câmera em um dos lados

Uma dica final para filmar entrevistas: trabalhe com simplicidade. Alguns diretores gostam de começar uma entrevista com um contraplano sobre o ombro do entrevistador, dar um *zoom* no entrevistado e, a partir disso, continuar com mudanças regulares de enquadramento durante as perguntas. Muitas vezes, por causa do improviso essas tomadas se revelam péssimas idéias, especialmente para entrevistas em locação. Elas servem para criar problemas para o editor (cortes durante movimentos de câmera não ficam bons) do que contribuem para o filme.

Manter um bom plano americano — a parte inferior do corte da imagem logo abaixo das axilas do entrevistado — é uma opção bem mais proveitosa. Você pode gravar todos os seus *inserts* do entrevistador também nesse enquadramento, sabendo que eles serão sempre do tamanho certo para combinar.

Em vez de introduzir movimentos de câmera, concentre-se para escutar as perguntas e respostas, de modo a assegurar-se de que nada essencial seja perdido. Procure também, olhando e escutando, trechos que ficariam melhores se refeitos.

E antes de começar a filmar, assegure-se de que a composição da tomada está correta.

Grave *inserts* (em outra fita)

Sempre grave *inserts* intermediários — para as entrevistas e também para o restante do programa. Se você não precisar usá-los, tanto melhor. Se precisar e não tiver, é um problema.

Você grava *inserts* para induzir o espectador a pensar que há duas câmeras para a entrevista. Portanto, a maneira de filmá-las é movimentar a câmera para onde uma segunda câmera estaria se você estivesse fazendo uma gravação cruzada em estúdio (ver ilustração na pág. 74). Esses *inserts* devem ser rigorosamente iguais às tomadas do entrevistado quanto à abertura, angulação e linha do olhar — com o entrevistador, naturalmente, olhando para o outro lado da câmera.

Tudo isso fica mais fácil se você usa apenas um enquadramento para o entrevistado. Se o câmera muda o enquadramemto, você precisará fazer os *inserts* em dois ou mais enquadramentos para ter certeza de que pode encaixar as tomadas do entrevistado.

Se você tem um assistente que pode anotar as perguntas conforme elas vão sendo feitas, faça o entrevistador gravar as perguntas principais como um *insert*, tentando reproduzir a maneira como elas foram feitas com a maior precisão possível. Recordar e repetir a inflexão exata é difícil. Uma maneira de contornar o problema é gravar as perguntas feitas durante a entrevista num segundo gravador (tenha certeza de que o botão de liga/desliga não será ouvido na trilha da entrevista) e depois as reproduza ao entrevistador para que ele as repita.

A propósito, gravar perguntas em contraplano é uma das ocasiões em que você não precisa ficar parando a câmera: deixe-a funcionando enquanto o entrevistador percorre a lista. Deixe alguns segundos de silêncio entre uma pergunta e outra para que você possa dispor com uma gravação limpa, de todas as perguntas que necessitar, mais algumas tomadas da pessoa escutando.

O problema com a movimentação de câmera para gravar contraplanos é que leva tempo — se estiver usando iluminação, você talvez tenha de esperar por uma remontagem total. Uma maneira mais rápida é colocar o entrevistador na posição do entrevistado e então mover ligeiramente a câmera e a poltrona de uma maneira que exista um fundo diferente atrás do entrevistador. Assim a iluminação precisa apenas de pequenos ajustes. Os espectadores jamais saberão que foram "enganados" — a menos que você também esteja usando planos gerais mais abertos, o que pode expor o truque.

Você pode apressar o proceso de edição de uma entrevista longa gravando os *inserts* em outra fita. Se os *inserts* estão na mesma fita que a entrevista, o editor tem de perder tempo procurando na bobina para achá-los. Se os *inserts* estiverem em outra fita, podem ser colocados em outra máquina e o editor trabalha a entrevista e os *inserts* paralelamente. É óbvio que esse problema não existe em filme, porque pode ir diretamente para cada tomada, assim que as seqüencias tiverem sido separadas.*

---

* A edição digital não-linear resolveu o problema do tempo perdido com correr as fitas. (N. do C.T.)

Você também descobrirá que pode economizar tempo de edição quando está trabalhando em vídeo se usar uma claquete, mesmo que esta não seja necessária para sincronizar som e imagem. A claquete oferece um marcador visual para o início de uma tomada ou seqüência, e dessa maneira você não precisa se referir ao *time-code* ou a minutagem durante a edição. A tomada é encontrada facilmente quando a fita está sendo rebobinada em alta velocidade. Você não perde tempo colocando-a antes da tomada porque isso pode ser feito ao ligar o gravador (não há necessidade de bater a claquete). E muitos diretores a consideram uma boa disciplina em locação. Quando a claquete vai para a frente da câmera, todos começam a se concentrar.

Edite primeiro as entrevistas; acrescente os *inserts* posteriormente

O procedimento para editar entrevistas é ligeiramente diferente da edição de outros materiais.

Quando você está organizando tudo por escrito, destaque as perguntas e onde elas estão, usando um time-code ou uma minutagem. Coloque uma marca ao lado de toda resposta provável de ser incluída no plano de edição. Nessa etapa, selecione a resposta toda ou parte dela; é mais fácil selecionar de maneira mais precisa posteriormente. Daí examine os *inserts* e as perguntas do contraplano para que você possa saber o que está disponível.

Se você tem uma transcrição das entrevistas, coloque entre parênteses as passagens que ficaram melhor quando assistidas. Algumas pessoas não se dão ao trabalho de assistir a uma entrevista quando possuem uma boa transcrição dela, e trabalhando apenas no papel — o que é uma abordagem um tanto arriscada, pois acaba não considerando a maneira como as palavras são ditas.

Quando o editor faz a primeira montagem, normalmente os cortes da entrevista são deixados como pulos, sem os *inserts*. Se estes já tivessem sido acrescentados nessa etapa inicial, você precisaria tirá-los (e talvez tivesse de dublar novamente parte da entrevista) toda vez que quisesse modificar um corte. Os *inserts* são colocados apenas na última etapa da edição, quando é improvável que haja mais modificações. A única exceção são as perguntas que foram repetidas para serem gravadas como contraplanos: estas devem ser incluídas na primeira montagem, pois você não pode presumir que terão a mesma duração que aquelas que foram formuladas durante a entrevista. Mas seja econômico no uso das perguntas em contraplano; acrescente-as apenas se forem melhorar o original, não apenas porque você as tem.

Finalmente, se está usando partes da entrevista em *off* (em outras palavras, usando o som sobre tomadas daquilo que o entrevistado está falando), você tem de fazer o som fluir o mais suavemente possível, cortando todas as hesitações e "hums" e "hãns". Se o entrevistado não fala bem, preserve algumas deles para deixar o som em *off* compatível com o restante da entrevista.

Entenda as regras (para que você possa quebrá-las)

As entrevistas, como qualquer atividade social, têm suas próprias regras de comportamento. Essas regras não são escritas, mas geralmente os entrevistados têm consciência delas pois já assistiram televisão e viram como as pessoas se comportam. Se eles já não sabem o que é aceitável, captam a idéia durante a revisão geral; na verdade, essa é uma das razões (não-verbalizadas) da revisão geral.

Algumas regras? O entrevistado aceita ser interrogado, em geral, sobre questões que ele teria preferido não responder. O entrevistador concorda em não pressioná-lo demasiadamente. O entrevistado concorda em não criticar as perguntas. O entrevistador concorda em não criticar as respostas. Ambos concordam em manter distância de detalhes que não ficam bem na transmissão. E assim por diante.

As regras são informais e difíceis de definir. Pode ser que você se conscientize delas apenas quando já foram quebradas; quando, por exemplo, um entrevistado inexperiente responde a uma pergunta com excessivos detalhes. Ou insiste em dar uma palestra em vez de responder a uma pergunta. Se o entrevistado não se corrigir, será considerado um "mau" entrevistado e não receberá outro convite.

Algumas vezes observar as regras sendo quebradas pode ser divertido. Por exemplo, quando um entrevistador lança dúvidas sobre a sinceridade de um entrevistado — a regra é comportar-se com mais cavalheirismo. Ou quando uma equipe de filmagem vai abrindo caminho até a casa ou escritório de alguém e tenta forçá-lo a responder perguntas — em geral as entrevistas são consentidas. Um entrevistado começa a fazer as perguntas ao invés de respondê-las; ou desafia o conhecimento que o entrevistador tem do assunto ("Você não leu o meu relatório"); ou não gosta do rumo que uma entrevista está tomando e tenta modificá-lo. Algumas vezes o consenso sobre as regras se rompe de todo e a entrevista vai por água abaixo porque os objetivos de ambas as partes ficam muito distantes. Tais episódios

— se puderem ser transmitidos — em geral são chamados de "boa" televisão.

Entender as regras é importante. Primeiro, porque elas o ajudam a evitar algumas armadilhas. Segundo, porque entender as regras lhe dá a confiança necessária para evitá-las ou mesmo para quebrá-las. Isso poderia transformar o ritual da entrevista em algo que pode fazer o seu programa ficar excepcional.

FILME PARA O ESPECTADOR

O que você quer que ele veja?

Não faça programas para serem vistos apenas por você — isto é da alçada de alguns diretores de "arte" experimental. Mas faça programas que queira fazer e você mesmo queira ver. Não tem muito sentido fazer algo a que você não vai se dedicar de todo o coração.

O perigo de fazer programas para serem vistos apenas por você é que você esquece de se comunicar com o espectador. Você já conhece a história e dessa maneira grandes porções do enredo ou da temática são deixadas de fora e o programa cai na obscuridade. Os infelizes espectadores começam logo a flutuar:

"Sim, sim. Muito legal. Mas se trata do que mesmo?"

O outro extremo é fazer programas que não lhe interessam de maneira alguma mas que (você acredita) irão interessar ao grande público que lá está. Isso também é perigoso. O grande público que está lá é composto por pessoas como você. Se você tem o hábito de se dissociar do seu produto, pode aos poucos começar a perder contato com seu público. O seu talento para "saber o que as pessoas querem" pode ficar obscurecido, primeiramente com cinismo e depois com desprezo. Você pode ficar rico (como os produtores de certos programas de variedades de sucesso), mas os seus programas perdem a sinceridade e o viço, tornando-se mecânicos.

Você tem de encontrar um equilíbrio. Faça programas que lhe interessem, mas os faça para os espectadores, não para si próprio.

E então, o que você quer que eles vejam?

Até agora estivemos discutindo técnicas para a colocação de som e imagem na tela para que contem a história. Agora vamos para o outro lado da tela e consideremos os próprios filmes e a forma como os vemos. Isso irá nos ajudar a entender por que alguns cortes e tomadas funcionam melhor do que outros.

Imagens têm muitos significados

Você raramente vê imagens sem palavras. Pinturas têm etiquetas, cartões-postais estão identificados atrás, fotografias de jornais têm legendas. O motivo é porque imagens são ambíguas: elas têm mais do que uma interpretação ou significado.

Imagens precisam de palavras. Sem palavras você não sabe como "lê-las". Imagine a foto de uma mulher de cabelos flutuando ao vento, bebericando um drinque gelado numa praia tropical cheia de palmeiras. Quem é ela? Onde ela está? Ela é uma turista em férias? Ela é uma modelo? Ela está fazendo a propaganda de um produto? Em caso positivo, é de maquiagem, xampu, algum spray de cabelo, perfume, roupa de banho, o drinque gelado, a ilha tropical, uma empresa de turismo? Sem palavras, todas essas interpretações, e muitas outras, são possíveis.

A extensão da ambigüidade depende de sua familiaridade com o produto. Quanto mais familiar o conteúdo, menor é a ambigüidade e menor é a necessidade de palavras. Se a mulher na foto é sua irmã e você mostra a foto para ela, não há necessidade de explicações. A sua mãe pode precisar de uma explicação com algumas palavras: "A Lucy estava experimentando o coquetel de frutas?" (Mamãe sabe que vocês viajaram juntos nas férias). Os seus colegas de trabalho provavelmente não reconhecerão a sua irmã ou o lugar (eles sabem que você estava em férias); eles irão precisar de mais palavras. Um visitante do exterior não saberá nada, da mulher, do lugar ou das férias. Um indígena da floresta pode necessitar de explicações sobre mulher, lugar, coquetel, praia, vestido, até mesmo sobre o que significa férias.

Algumas imagens mostram coisas inconfundíveis (a torre Eiffel, a Estátua da Liberdade, Mickey Mouse, crianças, animais) ou comunicam conceitos imediatamente reconhecíveis (amor, sexo, natureza, divindade, paz, liberdade). Essas imagens exercem a sua função sem o auxílio de outras imagens ou de palavras porque fazem parte da nossa cultura e nós as lemos nesse contexto.

O contexto imediato, mais estreito, também afeta a ambigüidade das imagens. Se a fotografia da mulher é mostrada como parte da série de fotos de férias, é mais fácil decidir — e explicar — o que ela é. Torna-se menos ambígua. Em televisão e cinema as imagens vêm numa torrente, nunca são vistas isoladamente. Por isso imagens que se movimentam são menos ambíguas, porque são sempre vistas no contexto das suas companheiras. O nosso cérebro tem uma forte tendência de procurar padrões e impor significado, mesmo quando os resultados não fazem sentido (procurando imagens nas manchas do papel de parede, "vendo" o homen na Lua). Se a foto da mulher aparece numa seqüência de fotos de roupas de banho, então trata-se de um desfile de moda.

Numa seqüência mostrando garrafas e um *barman*,
ela é parte de uma demonstração de coquetéis:

Cercada de fotos policiais, é uma pista de um
programa policial:

A justaposição de imagens reduz a sua ambigüidade.
A redução da ambigüidade é um dos objetivos da edição.
Um plano geral pode ser lido de muitas maneiras diferentes.
Insira o *close-up* na seqüência e você elimina muitas das
interpretações possíveis.

Na verdade, a maior parte de suas ações, quando você está fazendo um programa, pode ser pensada em termos de reduzir a ambigüidade. Quando você filma/grava, você usa ação, iluminação, ângulos, enquadramento e movimentos de câmera para reduzir a ambigüidade — se as imagens não fossem ambíguas você filmaria/gravaria tudo em plano geral. Quando edita, você deve montar as imagens para fazer o máximo de sentido possível; e quando tiver contado o máximo da história que conseguiu com imagens, você envia a mensagem com som. O som é o equivalente em televisão à etiqueta do quadro, à identificação do cartão-postal e à legenda do jornal.

Os olhos focalizam apenas uma parte da tela por vez

Pode parecer estranho falar sobre olhar para uma parte da tela. A tela não é pequena o suficiente para que seus olhos possam absorvê-la inteira?

Ela é, mas não é esta a maneira como os olhos funcionam.

Os olhos focalizam um ponto de interesse por vez; depois se movem para outro ponto de interesse, em seguida, para outro e deste, talvez, de volta para o primeiro. O período de repouso pode ser bastante breve; isso depende do que existe para ser olhado. Os movimentos são sempre muito rápidos; na verdade, a menos que estejam seguindo um objeto, os olhos não conseguem fazer um *pan* estável, vagaroso — fazem o movimento da flecha. A cena em torno de cada ponto de interesse está fora de foco e em visão periférica (que simplesmente significa "ao lado").

Os olhos de dirigem para a luz

Uma conseqüência desse sistema de pulos repentinos (conhecidos como *saccades* em inglês) é que existe uma ordem rígida para ver coisas. Os olhos se dirigem primeiramente para a parte iluminada da cena; o motivo pelo qual o *spot* escolhe a estrela e o carro com as lanternas acesas é porque essa é a primeira cena que você irá ver.

Os olhos se dirigem para o movimento

Os olhos também seguem o movimento; eles não conseguem evitá-lo. Isso provavelmente é um reflexo primitivo, animal, pois movimento — especialmente o movimento repentino — representa perigo potencial. Se alguma coisa se mexe nos arbustos você olha; se as pessoas querem ser vistas, acenam. Os ilusionistas se beneficiam disso há anos: se querem fazer algo que as pessoas não vejam, certificam-se de que qualquer outra coisa que esteja acontecendo capture a atenção dos olhos. Essa talvez seja a razão fundamental do sucesso da televisão: se o aparelho está ligado é muito difícil não olhar para ele.

Infelizmente o fato de os olhos se dirigirem para o movimento que nem sempre é muito proveitoso para o realizador de programas. Se houver uma mosca no paletó do entrevistado, todos olharão a mosca. Se a fervilhante sala de redação for usada como fundo para o noticiário, a sala chamará mais atenção do que o locutor. Nenhum desses problemas é fácil de consertar. Um tapão na mosca é divertido para os espectadores que estão assistindo, mas não melhora a entrevista. Banir as pessoas (e portanto o movimento) da redação quando o programa está no ar deixa a ambientação sem sentido: se não estiver sendo usada, não há como impressionar.

Por que um escritório movimentado como pano de fundo funciona melhor para um drama do que para um noticiário?

Se o diretor conhecer o seu ofício irá identificar diversas razões. O fundo pode ser projetado para complementar a ação principal, sem criar pontos de interesse que venham a competir com ela. Os enquadramentos e ângulos de câmera sempre serão mais ousados que os do noticiário podem ser. Os atores principais irão se movimentar e gesticular — âncoras de noticiário são, como o próprio nome diz, mais estáticos. A iluminação favorecerá os atores principais e a cena será filmada de tal maneira que o fundo ficará ligeiramente fora de foco. Vá assistir a movimentada cena de abertura de um filme bem dirigido e deduza como o diretor faz com que você olhe para a ação principal.

As luzes também podem funcionar contra o realizador, especialmente quando se acendem ou se apagam repentinamente. Pobre do artista que precisa dançar ou cantar num cenário com uma profusão de luzes, com tubos de neon ou efeitos de discoteca. Se você quer que a estrela brilhe mais que o firmamento, seja econômico com os planos gerais e diminua a iluminação do ambiente, e certifique-se também de que a estrela tenha um bom *spot*.

Finalmente, o fato de os olhos olharem para apenas uma parte da tela, oferece a você uma forma de verificar se os seus cortes estão suaves. Se o ponto de interesse na tomada que está terminando, está na mesma posição da tela que o ponto de interesse da que está entrando, o corte parecerá suave. Essa é a maneira que temos para fazer os pulos de corte óbvios funcionarem. Num determinado momento o herói está fazendo o seu *jogging* no parque; no próximo está no chuveiro. Se estiver na mesma parte da tela em ambas as tomadas, em geral o corte irá funcionar.

Os olhos selecionam; as pessoas vêem as coisas de maneiras diferentes

A visão é seletiva; os olhos e o cérebro funcionando conjuntamente escolhem o que ver e o que não ver.

O poder dessa capacidade é um pouco assustador. Pense na eficiência com que o nariz é deixado de fora da sua visão do mundo; o seu cérebro sabe que você não está interessado (exceto quando está pensando a esse respeito, como agora) então o seu nariz é simplesmente apagado, sem ao menos deixar um espaço vazio para marcar a sua ausência. Ilusões ópticas, alucinações, miragens — o seu cérebro é capaz de fazê-lo "ver" coisas que não estão à sua frente. Até mesmo quando está com seus olhos fechados — pense nos sonhos. Isso o faz imaginar quem realmente está no comando. Os olhos e o cérebro fazem outros truques que não sabemos?

A visão é uma função totalmente cerebral. É um processo interpretativo que não tem nada a ver com câmeras, telas ou espelhos. Os olhos podem ser pensados como a parte visível do cérebro; na verdade, parte do processamento de *inputs* visuais ocorre na retina, no fundo do olho.

Quase todos os nossos atributos pessoais afetam a maneira como vemos as coisas. Sexo: homens e mulheres tendem a ver coisas diferentes em (digamos) carros, roupas, futebol, utilidades domésticas etc. Idade: não são os policiais que estão ficando mais jovens a cada ano; é você e a sua idéia de juventude que estão ficando mais velhos. Educação: o estudo pode servir para os olhos — dê um passeio com um geólogo, botânico ou zoólogo e veja o mundo como rochas, plantas ou hábitats. Treinamento: pense em detetives decifrando pistas, cartomantes lendo mãos, controladores de tráfego aéreo monitorando telas de radares. Trabalho: câmeras olham para a luz; cabeleireiros olham para cabelos — e podem se lembrar dos cabelos melhor do que se lembram de um rosto. Trabalho na sua hora de folga: quando você está pintando vê pinceladas, quando não está, não vê. Estado emocional: o amor tende a mostrar o mundo por uma lente cor-de-rosa. O álcool também. E assim por diante.

O resultado de tudo isso é que as pessoas vêem as coisas de maneira diferente. A lição a ser aprendida com a elaboração de programas é reconhecer que a visão seletiva também o afeta, tanto por causa de seus atributos pessoais, quanto em razão de o próprio processo de elaboração de programas modificar a maneira como você olha para o programa. No momento em que está terminado, pode haver um grande fosso entre a maneira como você vê o material e a maneira como os espectadores o vêem. Se você não percebe que existe um fosso e não ajuda o espectador a diminuí-lo, o seu programa pode fracassar completamente.

Você tem a oportunidade de ver o quanto os seus olhos divergiram da norma, ao examinar o material com o seu primeiro espectador, o editor. Se ele vê as tomadas de maneira diferente da sua, quase certamente está com a razão. As reações dos superiores, patrocinadores e clientes também são válidas, desde que não tenham se envolvido demasiadamente com o processo de produção.

A visão seletiva também explica, creio, os filmes e programas de TV que se tornam grandes desastres. Eles começam como grandes projetos e acabam levando muito tempo para serem realizados. Os produtores gastam anos no projeto e acabam esquecendo como ele ficaria para a pessoa comun. Os executivos e patrocinadores se envolvem em cada detalhe (projetos de prestígio precisam ter supervisão da melhor qualidade), e assim seu julgamento fica comprometido. Como existe um orçamento fantástico, freqüentemente os editores do filme participam das filmagens, assim, a maneira deles verem o material não é tão isenta quanto deveria ser. Todos estão envolvidos até o pescoço com o projeto; não sobra ninguém que possa olhar e dizer: "Isto não funciona".

Num nível mais simples, a visão seletiva o faz perder a percepção de coisas como malas de equipamento, tripés, reflexos, copos descartáveis, bancadas de iluminação e cabos ao fundo da tomada. Você está tão ocupado com a ação e os atores que seus olhos e cérebro ignoram os resíduos.

Treine-se para verificar a presença de corpos estranhos antes de cada tomada. As câmeras são incapazes de selecionar.

A câmera não é capaz de selecionar (você precisa ajudá-la)

A câmera registra sem piscar tudo que está na frente da lente, espelhando ao invés de selecionar. A maneira sistemática como ela percorre a imagem — linha por linha à velocidade de frações de segundo — freqüentemente produz imagens que não se parecem nem um pouco com o que vemos com nossos olhos. Esse é o motivo pelo qual as pessoas reagem com tanta intensidade a tomadas de si mesmas: não é a maneira pela qual elas se vêem no espelho.

Para os realizadores o problema é ver as tomadas da maneira pela qual a câmera as vê. É um jeito que você adquire com a experiência, mas é sempre bom utilizar o visor (peça licença ao câmera antes). Ou — melhor ainda — leve um monitor para a locação.

A câmera provavelmente não irá enxergar o atirador

Você também pode olhar com os olhos semicerrados. Isso lhe mostra como a cena vai parecer na tela, pois reduz a sua capacidade de captar níveis de iluminação contrastantes, tornando-a semelhante à capacidade de captação semelhantes aos da câmera. O atirador à espreita e imóvel na sombra das árvores, fácil de ver com seus olhos bem abertos, provavelmente irá desaparecer por completo com eles semicerrados. A câmera provavelmente também não o verá a menos que você a ajude. (Algumas sugestões: calcule a exposição para a sombra e aceite que as partes sob a luz solar fiquem superexpostas; peça ao atirador para colocar um paletó mais claro; coloque mais luz nele; peça-lhe que coçe o nariz; peça-lhe para tossir.)

Mas por que as tomadas têm aparências diferentes? Por que os nossos olhos interpretam a imagem na tela da mesma maneira como interpretam o mundo real? Por que não conseguimos nos ver na tela da mesma maneira que nos vemos no espelho?

Parte da resposta está na câmera e em como ela funciona, que é totalmente diferente de como os nossos olhos funcionam. Ela faz uma leitura óptica percorrendo linearmente o quadro em vez de se movimentar em "saltos"; é mais fraca para contrastes; tem apenas uma lente (nós temos dois olhos); reduz três dimensões a duas. Não é surpresa que as imagens que ela produz sejam diferentes.

Parte da resposta está na própria tela. Ela está sempre ali quando olhamos e sua presença inevitavelmente muda a maneira como vemos a imagem. O efeito mais importante é forma como ela reduz a profundidade. Você pode se defender desse efeito achatador e ajudar a restaurar a terceira dimensão realçando as características que sugerem profundidade. Como sombras — não filme paisagens ao meio-dia quando as sombras estão no seu mínimo. Ou colocando uma "dália" — uma planta ou galho colocado no primeiro plano que faz o cérebro ver o resto da imagem no fundo.

"Dália"

O efeito da câmera e da tela sobre a maneira como vemos as imagens é imprevisível. Elas parecem inibir nossa visão seletiva — mas não sempre. Algumas ilusões caem por terra. A imagem tão lisongeira de nós mesmos quando nos vemos no espelho cede lugar ao retrato mais franco da tela. As malas do equipamento, tripés e copos descartáveis que deixamos de enxergar durante a filmagem recusam-se a desaparecer na tomada. Por outro lado, algumas ilusões persistem. Freqüentemente continuamos a ver qualidades em tomadas que não têm qualidade alguma, e talvez deixemos de ver mérito em tomadas que foram feitas como idéias de última hora e, no entanto, dizem tudo.

Um último aspecto sobre câmera e seletividade. A câmera é incapaz de selecionar, mas você deve ter consciência de quanto seleciona por ela. Você vai para uma locação, olha ao seu redor e vê tudo que é para ser visto. A partir daí seleciona parte do que está acontecendo ali para a câmera registrar. Você então grava ou filma apenas pedaços selecionados dessa ação porque a divide em tomadas; e a câmera registra apenas uma pequena parte de cada montagem porque seu ângulo de visão é mais estreito. Tudo que você traz de volta para a sala de edição é uma pequena seleção de imagens — as quais continua aparando ainda mais. É fácil esquecer o quanto você seleciona pela câmera e o quão seletivo é o resultado.

O importante não é o que você vê, mas o que você faz os outros verem

Alguns produtores às vezes alegam que não fazem nenhum tipo de seleção: "Eu não preciso de um ângulo; eu apenas o mostro como é".

Eles estão se enganando. A verdade é que a realidade é muito demorada para ser colocada na tela. Um grupo de dança criando um musical ou o trabalho de um caçador de ratos pode ser interessante, mas será que o espectador quer realmente vivenciá-lo a cada minuto? Certamente, não. Os produtores têm de tomar decisões sobre o que filmar e o que deixar de fora. E também não possuem um estoque ilimitado de opções e assim interrompem a filmagem ou gravação durante as partes desinteressantes fazendo as pausas para café. O problema é que as coisas mais interessantes acontecem justamente durante as partes desinteressantes, como as pausas para um café.

Perceba também que o realizador precisa dizer "Eu apenas conto do jeito que é". Ele tem de assumir uma visão pessoal, subjetiva, da sua história; ele não pode ser objetivo porque é um indivíduo. A câmera também não pode ser objetiva. Alguém tem de operá-la e operá-la envolve escolhas: onde colocá-la e para onde apontá-la, quando iniciar e quando parar, e o que deixar de fora enquanto a ação se desenrola.

O que o realizador almeja conseguir não é a realidade, mas a ilusão da realidade. É um truque difícil de conseguir. O grupo de dança planeja e ensaia o seu musical por semanas, o caçador de ratos tem a experiência de uma vida — e você precisa condensar toda essa realidade em alguns minutos. A realidade não apenas leva muito tempo para ser colocada na tela: freqüentemente ela está na forma e tamanho errados,

Os resíduos se recusam a passar despercebidos da câmera

pobremente iluminada e acontecendo numa área ampla demais para que a câmera e o microfone a apanhem com sucesso (estou pensando nos problemas para filmar/gravar um ensaio de dança com seis bailarinos, um coreógrafo e um piano num salão de ensaios grande e escuro). Você tem de usar todas as suas habilidades de produtor de programas para fazê-lo parecer real na tela, pois a única realidade comunicada por um trabalho de câmera pobre é um trabalho de câmera pobre.

No final, dirigir filmes e vídeos é selecionar a sua versão da realidade e colocá-la na tela. Parafraseando Degas, um pintor impressionista: não é o que você vê que importa — o que importa é o que você faz os outros verem.[1]

---

1. Degas é citado no livro *La Renaissance de l'art français* (1918) tendo dito: "O artista não desenha o que ele vê, mas o que ele precisa fazer os outros verem".

Glossário

ajustes técnicos ajuste das câmeras eletrônicas e demais equipamentos antes da transmissão "ao vivo" ou da gravação, filmagem.

amplitude a força de uma corrente elétrica ou sinal elétrico.

animação simulação de movimento por filmagem/gravação, mudando a posição do objeto quadro a quadro.

assemble edição do material de vídeo na ordem correta, sobre a fita virgem, sem *control track* pré-gravado.

áudio outro termo que designa o som; usado em contraste a *vídeo.*

à esquerda e à direita posições à esquerda e à direita da posição da câmera.

banda-alta versão do formato de video *U-matic.*

banda-baixa versão do formato de video *U-Matic.*

banda internacional trilha gravada só com música e efeitos sonoros, sem narração.

balanço cromático (balanceamento da câmera) assegura que a câmera está combinando as três cores primárias nas proporções corretas.

cabeça (vídeo), um dispositivo eletromagnético para gravar o sinal de vídeo num suporte magnético (a fita de vídeo) ou para leitura do sinal gravado *(playback).*

câmera de animação *(table-top)* câmera especialmente montada para fazer movimentos suaves em fotos, desenhos, pinturas etc.

câmera sem fio câmera equipada com um transmissor de baixa potência.

campo em vídeo, a área da tela de televisão coberta pela varredura de linhas alternadas. 2 campos = 1 quadro (imagem completa).

carretel aberto ("open reel") fita magnética não embutida num cassete, que tem de ser carregada à mão.

cassete caixa para fita magnética (áudio ou vídeo) que é laceada automaticamente pela máquina gravadora/reprodutora.

cena muda cena tomada sem a gravação do som direto.

chromakey substituição parcial de uma imagem eletrônica com material proveniente de outra fonte.

ciclo em eletricidade, uma repetição completa da corrente alternada, referida como a freqüência em unidades hertz. A Inglaterra tem 50 ciclos por segundo ou 50 hertz e os Estados Unidos, 60 Hz.

ciclorama — fundo do estúdio, atrás do cenário podendo ser feito de madeira, pano ou alvenaria. Quando os cantos são arredondados chama-se de fundo infinito.

cintilação perturbadora perda de luz entre os quadros de filme ou de vídeo — quase invisível na freqüência de 48 ou 50 por segundo.

claquete pequena lousa usada para marcar o ponto de sincronismo entre som e imagem e para identificar o rolo, a cena e o *take* por números.

close-up, close (ou primeiro plano - PP) cena que mostra a cabeça inteira da pessoa, do colarinho ou gola para cima. Cena fechada de um objeto.

codificação sinal elétrico proveniente da câmera, modificado para uma forma adequada à propagação.

congelamento de imagem ou ***freeze frame*** um campo isolado de vídeo, ou um fotograma de filme, exibido de forma estática na tela.

contraluz luz que vem de trás para separar o entrevistado do cenário de fundo.

contraste diferença de brilho na imagem ou cena.

control track — Vide pista de sincronismo.

copião filme após processamento, mas antes da montagem.

cores primárias em vídeo, vermelho, verde e azul, que podem ser adicionadas em diferentes proporções para produzir qualquer outra cor.

corte grosso primeira montagem de cenas.

corte brusco um corte que interrompe a continuidade de tempo, espaço ou ação; em telejornalismo chama-se de corte brusco a deixa final de uma entrevista cujo áudio termina exatamente junto com a imagem.

corte intermediário cena usada para evitar um corte brusco, geralmente de alguma coisa relacionada, mas não vista na cena principal.

corte paralelo corte de som e imagem no mesmo ponto.

créditos lista das pessoas envolvidas na produção do programa, relacionando nomes e funções.

CRI sigla de *Colour Reversal Intermediate,* material virgem para se fazer uma ou mais cópias do *master* reversível.

crominância porção do sinal de vídeo que contém a informação das cores, que consiste em sinais de diferença de cores.

cruzar o eixo reverter o fluxo da ação em cenas sucessivas, confundindo o público quanto ao sentido de direção.

cue pontos de marcação eletrônica na fita de vídeo.

diafragma a abertura através da qual a luz penetra na câmera (veja também número *f*).

diferença de cores codificação da informação das cores em termos de vermelho e azul, como o valor que sobra após a subtração do sinal de luminância.

dioptria unidade de medida da potência de uma lente de aproximação, usada nas objetivas de vídeo como acessório para tornar possível primeiríssimos planos de objetos.

diretor o responsável por todos os detalhes criativos da produção provenientes de técnicos, artistas, designers e outros.

distância focal distância entre a objetiva e a superfície do filme ou entre a objetiva e o tubo captador de imagens da câmera de vídeo.

dolly carrinho com elevador para movimentação suave da câmera no decorrer da filmagem. Também usado nos Estados Unidos para se referir ao movimento da câmera em si.

edição computadorizada o computador sincroniza as máquinas de vídeo e faz a edição conforme as instruções.

edição final estágio final do processo de edição.

efeitos sonoros, ruídos gravados que não são música nem fala.

elenco adequação dos atores com suas personagens.

emulsão revestimento no filme que é sensível à luz — o lado menos brilhante do filme que gruda num dedo umedecido.

ensaio aberto testes de atores para avaliar sua adequação a papéis numa novela.

espelho dicróico dispositivo para dividir o raio de luz de acordo com o comprimento de onda — usado em câmeras de vídeo para determinar as proporções das cores primárias numa cena.

exposição quantidade de luz que se permite incidir num quadro do filme virgem; geralmente referido como um número.

externa qualquer filmagem ou gravação ao ar livre.

fade transição gradual entre uma cena e um fundo neutro: *fade in* "o aparecimento" gradual da cena; *fade out* o "desaparecimento" gradual da cena.

ficha de câmera (tripa) roteiro personalizado para o *operador de câmera* no estúdio, contando a seqüência dos planos.

filme reversível sistema de filme cinematográfico que não usa negativo: a própria película colocada na câmera, quando revelada, já produz a imagem positiva.

filtro cristal ou gelatina usados para modificar a luz que penetra na câmera.

fotograma ou quadro (de filme): imagem isolada num pedaço de filme exposto.

fotogramas adicionais pedaços de filmes acrescentados ao rolo de imagem ou de som para preencher falhas e assim garantir o sincronismo entre som e imagem.

freqüência termo de eletricidade que designa o número de ciclos por segundo na corrente alternada (veja ciclo).

freqüência modulada combina um sinal com uma portadora pela modulação da freqüência da portadora.

fusão transição gradual de uma cena para outra.

geração estágios de copiagem de vídeo. A fita *master* é a primeira geração; uma cópia da *master* é segunda geração; uma cópia da cópia é terceira e assim por diante.

grande-angular objetiva com curta distância focal.

gravação digital codificação do áudio ou do vídeo como valores numéricos no lugar de um sinal elétrico variável.

helicoidal em vídeo, laceamento da fita ao redor do cilindro que contém as cabeças que descreverão a trajetória de uma hélice parcial, possibilitando assim pistas gravadas diagonalmente na fita.

hertz unidade da freqüência de repetição da corrente elétrica ou da voltagem. Um hertz = um ciclo por segundo.

índice de consumo de material virgem razão entre o material filmado e o material exibido.

insert edição de vídeo numa fita pré-gravada em geral com sinal de sinc; substituição de uma cena por outra de idêntica duração.

intercomunicação comunicação contínua, por som, através de fones e entre o *switch* e os operadores de câmera, assistente de estúdio, gerador de caracteres e outros técnicos envolvidos no programa.

interior qualquer cena em local fechado.

interlace técnica de vídeo de varrer linhas alternadas na imagem, a fim de eliminar a cintilação entre os quadros (veja campo).

laceamento carregamento da fita magnética ao redor das cabeças, feito automaticamente em máquinas cassetes, ou manualmente nas de carretel aberto.

leader início do rolo de filme, geralmente com uma contagem regressiva para localizar o ponto de partida com exatidão.

legenda letreiro em um *slide* ou cartão. Letreiro com a tradução de um filme estrangeiro para a língua local.

lista de planos de filmagem (*shot list*) lista detalhada das seqüências a serem filmadas, usada basicamente em cinema.

locação qualquer local fora do estúdio.

locução narração do programa, geralmente *ad libitum* nos programas esportivos.

luminância porção em preto e branco do sinal de vídeo luz alta *(highlight)* — partes mais brilhantes de uma imagem.

luz de preenchimento luz *soft* usada para preencher as sombras.

luz dura uma luz que faz uma sombra nítida.

luz mista mistura de luz do dia com luz artificial.

luz principal luz principal para iluminar o cenário completo.

luz *soft* luz suave e sem sombras.

macro característica de ampliar ou de fazer grandes *closes* na maioria das câmeras de vídeo.

magnético perfurado som gravado em ou transferido para um filme magnético com perfurações como as de um filme.

marcação de luz ou correção de cores (*grading*) ajuste da luz e da cor num filme exposto para obter a melhor qualidade possível.

máscara moldura usada pelo *chromakey*.

meio primeiro plano (MPP) tomada-de-cena confortável, que corta logo abaixo dos ombros. Enquadramento padrão para as entrevistas de TV.

microfone dispositivo que transforma ondas sonoras em sinais elétricos.

microfone lavalier microfone de pescoço.

microfone sem fio sistema equipado com um pequeno transmissor, permitindo assim ao usuário a máxima liberdade de movimentação.

microfone omnidirecional microfone sensível ao som proveniente de todas as direções.

microfone shotgun ou "canhão" microfone altamente direcional.

mix em vídeo, transição gradual de uma cena para outra.

mixagem dosagem final de som direto, narração, música e efeitos na trilha sonora; também é a colocação de uma segunda língua num programa.

modulação alteração num sinal elétrico através de sua combinação com outro sinal.

monitor dispositivo que exibe a imagem de vídeo sem sintonizador de canais.

negativo filme original exposto na câmera. A luz aparece como uma área escura e vice-versa. No negativo em cores, as cores estão trocadas pela suas cores complementares.

NTSC *National Television System Committee,* sistema de cores de TV usado principalmente nos Estados Unidos e no Japão.

número *f* a relação entre a distância focal e o diâmetro da objetiva quando totalmente aberta.

número *t* número de transmissão de luz, o número *f* ajustado para levar em conta a perda de luz durante sua passagem através da objetiva.

números de borda numeração na margem do filme virgem, de fábrica, para auxiliar a identificação de tomadas-de-cena. Sai automaticamente nas cópias.

objetos cênicos qualquer objeto móvel que compõe o cenário.

off, voz em também chamada voz *over*, é a narração ou comentário colocado sobre imagem.

off-line em edição de vídeo, uma pré-edição feita numa máquina mais barata, para se experimentar a melhor forma de editar uma produção.

oitava uma gradação da freqüência. Cada oitava representa o período entre uma determinada freqüência e o dobro ou a metade dessa mesma freqüência.

olhar direcional a direção para a qual a pessoa focalizada pela câmera está olhando. No enquadramento de um olhar direcional deve-se deixar um espaço maior no lado para o qual o rosto está voltado.

ômega termo que descreve o laceamento da fita ao redor do cilindro que contém as cabeças de vídeo. Dois tipos: aberto e fechado. Nome baseado na letra grega Ω.

ordem de exibição roteiro fácil de modificar para programas de determinado assunto.

original de câmera cópia *master* do filme reversível.

PAL *Phase Alternation Line,* sistema de cores de TV usado na maioria dos países europeus, exceto na França.

pan giro horizontal da câmera.

pista de sincronismo *(control track)* marcas gravadas eletronicamente na fita de vídeo, que serve para controle da gravação.

pista de som magnético som gravado numa pista magnética colocada sobre o próprio filme cinematográfico, paralelamente à imagem.

plano de edição lista a partir do material colhido da melhor seqüência de edição possível ("edição no papel").

plano geral (PG) enquadramento feito com a câmera distante mostrando a pessoa por inteiro ou um local por completo.

plano médio (PM) plano de introdução para as entrevistas, que corta logo abaixo dos cotovelos.

planta baixa desenho em escala do estúdio, instalações e cenários, usado para fazer a disposição das câmeras, atores e assim por diante.

playback reprodução do vídeo ou do áudio já gravados.

pontos posições pré-marcadas do diafragma, referidas como números *f*.

portadora onda elétrica regular modulada para transmitir informação.

pre-roll tempo de recuo da fita para a edição de imagens. Geralmente fixado no equipamento.

primeira cópia primeira cópia com as cores corrigidas, feita a partir do negativo montado.

primeiríssimo plano (PPP) um *close* muito fechado do rosto, podando o alto da cabeça. Também é a cena que mostra detalhe de um objeto.

primeiro corte *(rough cut)* termo usado geralmente no cinema. Primeira montagem do material em estado bruto.

produtor pessoa encarregada de obter e organizar os elementos necessários para a realização de um programa.

profundidade de campo área de uma cena em foco.

pulso sinal de orientação para o feixe de varredura, em câmeras de vídeo e em gravadores de vídeo.

quadro imagem completa de vídeo composta de dois campos.

quadruplex ou quad formato de vídeo com quatro cabeças que gravam transversalmente à fita de 2 polegadas de largura.

registro termo usado para garantir que as saídas dos tubos de imagem vermelho, verde e azul, da câmera, coincidam exatamente na formação da imagem na tela.

relógio relógio especialmente projetado gravado antes do início da gravação no estúdio, para servir de ponta *(leader)* e identificação da fita.

rock and roll equipamento que possibilita editar a trilha sonora em pequenos pedaços, sem as emendas se tornarem audíveis.

roteiro texto que inclui detalhes completos das cenas, iluminação, som etc.

ruído ambiente som gravado na locação independentemente de imagem e, portanto, fora de sincronização.

SECAM sistema de TV em cores usado principalmente na França e países do bloco comunista.

set cenário do estúdio.

sinal sinal para começar a ação, também passagem em uma locução.

sinc sincronização entre imagem e som.

sinc de fim ponto de sincronismo marcado pela claquete no fim da tomada-de-cena.

slow motion aparente lentidão na ação de uma cena, obtida em vídeo pela exibição de cada campo duas ou mais vezes e, em filme cinematográfico, rodando a filmadora mais depressa que o normal.

sombreamento de letras contorno das letras, na tela, para auxiliar a legibilidade.

storyboard na fase de planejamento da filmagem, refere-se à lista de planos que inclui desenhos das imagens a serem colhidas.

switch mesa de cortes na qual o diretor de TV escolhe a câmera que vai ao ar a cada momento.

talk-back aparelho de teclas que faz a comunicação sonora entre os diversos locais da TV; selecine, VT, *switcher*, controle do vídeo etc.

técnica da tarja (lingüeta) técnica de animação simples.

telecine máquina para projetar o filme cinematográfico na televisão.

teleobjetiva objetiva de longa distância focal que aproxima objetos distantes.

teletexto sistema de exibição de informações transmitido nas linhas "sobressalentes". (no topo da tela) da televisão.

tilt (pan vertical) giro da câmera para cima e para baixo (eixo vertical).

time-code sistema para imprimir números eletronicamente na fita de vídeo.

tomada de dois duas pessoas no enquadramento.

tomada em ângulo elevado cena tomada com a câmera acima da pessoa e dirigida de cima para baixo.

tomada intermediária plano de corte usado para evitar pulos e inversão de imagem quando se está montando uma entrevista; serve também para possibilitar a inversão do eixo.

tração de câmera movimento de *travelling* da câmera, para frente ou para trás.

transferidor instrumento para medir ângulos; usado em conjunto com a planta baixa, a fim de se planejar as tomadas.

tratamento como o *storyboard* e a lista de planos, é um recurso para planejamento de seqüência de filmagem, porém pouco detalhada.

"travelling" movimentação lateral da câmera.

trilha sonora trilha contendo música e efeitos sonoros.

truca equipamento para realizar efeitos especiais tais como fusões, cortinas etc., adicionados ao filme cinematográfico pelo laboratório.

tubo de imagens dispositivo da câmera que transforma variações de luz de uma cena em variações elétricas ou sinais.

U-Matic formato de vídeo que usa fita de 3/4 de polegada embutida em cassete.

VCR *Vídeo Cassette Recorder,* gravador de videocassete.

velocidade de registro velocidade na qual a cabeça de vídeo cruza a fita de vídeo.

VHS *Video Home System,* sistema de vídeo doméstico, formato de vídeo que utiliza fita de 1/2 polegada embutida em cassete.

vista geral a que descreve e estabelece posições, na locação.

VTR *Video Tape Recorder,* gravador de videoteipe.

vídeo termo que se refere a todos os aspectos da tecnologia de imagem eletrônica, diferente do filme cinematográfico.

vox populi (o povo fala) técnica de formular perguntas a diversas pessoas para obter suas opiniões sobre um determinado assunto.

zoom objetiva de distância focal variável.

Harris Watts

Trabalha em televisão como diretor e produtor desde 1965. Começou no noticiário internacional *Current Affairs* e depois fez programas científicos tanto para a BBC quanto para a ITV. De 1977 a 1979, foi gerente de produção de programas em Brunei e, desde então, vem trabalhando com treinamento, principalmente no Reino Unido, como instrutor sênior do Departamento de Treinamento de Televisão da BBC, além de atuar no exterior. Em 1984, publicou *On Câmera* editado pela Summus, em 1994 e, em seguida, lançou uma série de vídeos de treinamento também chamada *On Câmera*, que foi contemplada com seis prêmios, no Reino Unido, EUA e Austrália. *Direção de Câmera* é seu segundo livro.

www.gruposummus.com.br
Acesse, conheça o nosso catálogo e cadastre-se para receber informações sobre os lançamentos.

www.gruposummus.com.br